"经营之圣"稻盛和夫《活法》书系之一

活法

生き方

[日] 稻盛和夫（Kazuo Inamori）著
曹岫云 译

人民东方出版传媒
People's Oriental Publishing & Media
東方出版社
The Oriental Press

推荐序　人生教科书

2007年7月2日稻盛和夫先生率领日本“盛和塾”120名企业家来无锡，参加“无锡盛和企业经营哲学研究会开讲式”。当天我到上海机场迎接，在开往无锡的小车上，稻盛先生告诉我，不久前，在庆贺《活法》这本书在日本销量突破50万册的宴会上，一位有名的作家说，50年以后稻盛哲学对社会的影响，会超过京瓷和KDDI两个企业对社会的贡献。

我说，这话很对，但是50年后太迟了，到时稻盛先生125岁了。中国古代，孔子活着的时候，没有一个国家的当权者愿意接受他的思想和主张。等孔子去世后，他的学生把他讲的话整理成《论语》，才流传了

2500多年，孔子的学说是在其逝世后才辉煌。现在时代不同了，媒体极为发达，以稻盛先生为塾长的“盛和塾”成员（当时是4100名），都是企业家。企业家思想活跃，会出主意，有经济实力。只要大家下决心，花力气，宣传得当，不要等到50年以后，而是在稻盛先生健在时，加大努力，就可以让更多的人了解稻盛哲学，让稻盛哲学发挥更大的作用。稻盛先生对我的看法表示赞同。

“盛和塾”不仅在日本，而且在美国、巴西、中国都有。尤其是近几年来，稻盛哲学的传播速度开始加快，“盛和塾”塾生已多达8000人。

2004年稻盛先生应邀在中共中央党校作了题为“致新世纪的中国领导人”的精彩讲演，并被授予“中日友好使者”称号。

稻盛先生在清华大学、北京大学的讲演，稻盛和夫经营哲学北京报告会、青岛报告会、广州报告会、大连报告会、重庆报告会，场场爆满，好评如潮。

从2008年开始，中央电视台围绕稻盛哲学做了五期节目，其中《对话》就有3期。围绕一个外国企业家的思想哲学做这么多次的专题采访，这在中央电视台历史上从未有过。

《中外管理》、《哈佛商业评论》等著名商业杂志，以及中国几乎所有经营管理类报章杂志都积极刊登或转载有关稻盛哲学的讲演或文章。

经稻盛先生本人授权，由我开设的“稻盛和夫新浪微博”，仅仅1年，粉丝数目就接近400万。“稻盛和夫搜狐微博”更是在开设3个月内就集聚了多达300万的粉丝。

以《活法》为代表，《干法》、《稻盛和夫的实学》、《阿米巴经营》等稻盛先生的著作十分畅销。许多出版社争相出版稻盛先生的著作。甚至盗版的《稻盛全集》之类的书籍也充斥市场。

一个外国企业家在中国产生如此广泛而持久的影响，闻所未闻。可谓“唐代鉴真东渡日本传汉学，今日稻盛西飞中国授哲学”。

但是，这一切才刚刚开始，稻盛哲学在中国的影响，同这哲学应该产生的影响相比，同社会对这种哲学潜在的需求相比，还远远不够。“稻盛热”在中国方兴未艾。

在中国出现“稻盛热”绝非偶然。原因之一就在于稻盛先生和稻盛哲学本身。

稻盛先生出身是科学家，出名是企业家，但我认为稻盛先生本质上是一位彻底追求正确思考和正确行动的哲学家。同时他还是教育家、慈善家。不仅在日本历史上，就是在整个人类的历史上，像稻盛先生这样的人物也是凤毛麟角，极为罕见。

稻盛哲学的核心是“作为人，何谓正确？”这么一句话。将作为人应该做的正确的事情以正确的方式贯彻到底，这就是稻盛先生一切成功的原点。毫无神秘之处。

稻盛先生创办企业的目的是：“在追求全体员工物质和精神两方面幸福的同时，为人类社会的进步发展做出贡献”。

稻盛哲学的每一项每一条，都是稻盛先生在亲身实践中的心血的结晶，都能为全体员工所共有。

另外，稻盛哲学中还包含了许多中国古代文化的精华。《孔子》、《孟子》、《易经》、《了凡四训》、《菜根谭》、《呻吟语》等中的名句格言，稻盛先生不仅常常引用，而且贯彻实行。

在这种哲学的指引下，稻盛先生赤手空拳创办了京瓷和 KDDI 两家世界 500 强企业。京瓷创建 53 年来，KDDI 创建 28 年来从未亏损，而且利润率基本上都在 10% 以上。稻盛的企业还从不解雇一名员工。

依靠这种哲学，稻盛先生的企业成功地克服了 20 世纪 70 年代的石油危机、80 年代的日元升值危机、90 年代的泡沫经济危机，21 世纪初的 IT 泡沫危机，以及 2008 年的金融危机，获得了持续快速的发展。

特别是，2010 年 2 月 1 日稻盛先生接受日本政府的邀请，以 78 岁高龄出任破产重建的日航的会长。他从改变日航员工的意识着手，仅仅一年，就让日航大幅度扭亏为盈，创造了日航 60 年历史上最高的利润，这个利润还是当年全世界航空公司的最高利润。第二年，在大地震、大海啸、核辐射三重灾难之下，日航的利润和利润率依然攀升，创造了新的历史纪录。日航也曾是世界 500 强企业。稻盛先生将破产的日航迅速扭转成为一个高收益体质的企业，仅仅 2 年 7 个月日航就再次上市，创造了日本上市公司破产后重新上市的最短纪录。

稻盛先生的成就举世瞩目，稻盛先生的哲学深刻动人，让广大的中国企业家们刮目相看。

这样一位功成名遂、德高望重的老人，每次到中国来却总是那么谦虚、亲切、平易近人，处处为周围的人包括会议的义工们着想。让接触过他的中国人无不为之感动。

稻盛先生身上散发的魅力，以稻盛先生为塾长的盛和塾形成的巨大磁场，吸引了并将继续吸引更多的中国企业家和各界有识之士，这是必然的趋势。

《活法》是稻盛先生的代表作，这本书荟萃了稻盛哲学的精华。2004 年 10 月《活法》在日本刚出版，我就拿到了原著。这本书太精彩了！第一次读它，我就产生了深刻的感动和强烈的共鸣。不久，日本京瓷委托我校对这本书的中文译本。2010 年年初，受出版社委托，我将这本书重新翻译，在翻译这本书的过程中，我常常禁不住拍案叫绝，激动不已。直到现在，我还经常认真阅读《活法》的日文原著和中文译本，读每一节我都有感动，不同时期读同一节，亦常有新的感悟。这本书精彩纷纭，妙语如珠，百读不厌。这本书触及了人心深处的奥秘，揭示了事业成功的规律。这本书用浅显的语言所表达的深刻的思想，足以成为我们人生的指针，因为它讲述的就是人生的真理。

《活法》在日本的销量已突破 100 万册，在中国的销量已超过 130 万册，在俄罗斯、巴西等国家也已出版发行。我们广州“盛和塾”的一位企业家，读了《活法》后感动之余，一次购买了 7500 本，发给每位员工和公司的经销商。购买几百、几十本的企业很多很多。我想，这样的事情绝不是偶然的、孤立的。我认为这一切才刚刚开始，我坚信《活法》一定能成为常年畅销书，不仅风靡日本、中国，而且会风靡全世界。《活法》必将成为传世之作，留给我们的后人。因为《活法》中所阐述的稻盛先生的哲学和实践，是超越时代的珍贵的精神财富，是我们开拓事业、获取成功和幸福的最强大的思想武器。

稻盛先生具有敏锐的洞察力，喜欢深思熟虑，善于从复杂的现象中抓住事物的本质，善于把深刻的思想用朴实的语言表达出来。稻盛先生在30岁前后已经相当完整地、十分清晰地构建了他的“京瓷哲学”，他与全体员工一起践行这种哲学，53年间创造了惊人的业绩。

2010年1月中旬，在稻盛先生正式出任日本航空公司会长之前，我访问了京都的京瓷公司总部和“盛和塾本部事务局”，拿到了稻盛先生近15年来约400次讲演、讲话的文稿，以及稻盛先生在12年前亲自讲解的“京瓷哲学”78条的16个光盘。我花了整整一个星期，把这些光盘看了一遍，感动之余，我深深地感觉到，京瓷和KDDI这两家大企业不过是稻盛哲学的产物。而在稻盛先生出任日航会长时，在日本舆论界“日航必将二次破产”的一片喧嚣声中，我就明确断言：稻盛哲学在现实中的下一个投影，就是日航重建成功。果然不出所料，我的预言相当灵验。稻盛先生妙手回春，马到成功。稻盛哲学这一灿烂的思想之花，结出了日航重生这一丰硕的经济之果。

在《活法》中稻盛先生说：“如果要问我成功的理由，理由就是这一点。就是说，我的才能或许有限，但我拥有虽然单纯却非常有力的指针——追求做人的正确的准则。”

“追求做人的正确的准则”就是成功的理由。这个结论简单得令人难以置信。事情果真如此吗？是的，真理就这么简单。简单、质朴却不同凡响，这就是稻盛哲学的魅力。

所谓“做人的正确的准则”，就是正直、勤奋、谦虚、坚强、节制、自利利他等等，做人不能太自私，不能虚伪、懒惰、傲慢、卑怯、贪婪，不能骗人，不能损人利己、损公肥私等等。这些简单的做人准则就是人类长期培育的智慧的结晶。让自己拥有一颗纯洁美好的心灵，发挥自己天赋的才能，倾注自己全部的热情，这就是人生获得巨大成果的秘诀，就是人生成功的王道，就是人生幸福的源泉。因为这种人生态度符合天道，符合宇宙的法则。

《活法》这本书还阐述了另一个重要的观点，它在更宏观的视野中，揭示了当今世界的一个深刻而巨大的矛盾，这就是科技进步、经济发展与人的精神道德的停滞或衰退之间的矛盾。这个矛盾越来越大、越来越尖锐。这种趋势不遏止，这个问题不解决，现代文明乃至整个人类会不可避免地走向衰亡。从这个意义上讲，稻盛的哲学是救世的哲学，是《拯救人类的哲学》。

亲爱的读者们，《活法》是一本罕见的、非常实用的人生教科书。如果我们细读《活法》这本书，我们就能够理解稻盛哲学的精髓。如果我们践行稻盛哲学，我们的工作一定会生气勃勃，我们的事业就一定会繁荣昌盛，我们的人生一定会光辉灿烂。

曹岫云

2013 年 2 月 28 日

自 序

本人所著《活法》（日文书名《生き方》）已经成为常年畅销书。趁本书出版十周年之际，我想再次重申本书中阐述的观点。

我赤手空拳，在五十六年前创立了京瓷公司，在三十一年前创建了 KDDI。拼命努力的结果，现在这两家公司的销售额合计已经超过六万亿日元，而且还在继续蓬勃发展。

在八十余年的人生中，我不断地思考人生的意义，就是人的正确的“活法”，也就是人应有的生活态度。本书就是这种思考的集大成之作。在读者诸君丰富多彩的人生中，期愿我的经验和思考能够对大家有所启示。为此，二〇〇四年在日本出版了这本书，并于第二年即二〇〇五年在中国翻译出版。

令人欣慰的是，本书自出版以来，不仅在日本成了畅销书，而且在中国（包括台湾地区）以及韩国也多次再版。同时在美国、意大利、葡萄牙、俄罗斯、立陶宛、墨西哥、巴西、印度尼西亚、越南和泰国也相继出版，全球销量已经超过了300万册。

世界各地的读者中，许多人给我发来了信件，表示赞同我的观点。我的思想能被全世界的广大读者接受，这让我感到由衷的高兴。

我所思考的“活法”，也就是我的人生观，立足于做人最基本的伦理观和道德观。我一生着力彻底地贯彻这样的伦理观和道德观。正因为是基于最朴实的做人的原则，所以能够超越国家、语言、民族和宗教的障碍，普遍地为人们所接受。

而日本的标志性大企业日航的重建成功，又在实际上证明了这种人生观、这种“活法”是正确无误的。

接受日本政府的委托，从二〇一〇年开始的三年中，我参与了破产企业日航的重建。当时，我首先做的，就是向日航的经营干部们阐述做人最基本的伦理观和道德观。

具体来说，就是正义、公正、公平、诚实、谦虚、努力、勇气、博爱等等。用这些词汇表达的伦理观和道德观，适用于企业经营，适用于日常工作，适用于人生的各个方面，它就是万般皆通的“原理原则”。

不仅日航的经营干部，而且每一位日航的员工，都认真学习、努力实践这一做人的正确的原理原则。其结果，就是日航实现了V字形复苏，并于二〇一二年九月在东京证券交易所重新上市，日航转变成了一个高收益的企业。

而日航重建成功的秘诀，无非就是本书所阐述的“活法”，无非就是东方圣贤们所倡导的正确的为人之道。

自古以来，中国人就一贯真挚地追求这种为人之道，追求做人应有的姿态。在中国古代的典籍中有许多这样的智慧，这种智慧感化了世上的芸芸众生。因此，我认为，继承了中国优秀传统的现代的中国人，对于本书所阐述的观点，一定会有更深刻的理解和感悟。

中国的经济取得了惊人的发展，中国已经成为领先世界的经济大国。借本书出版十周年之机，我祈愿本书能够到达更多的中国人、更多的中国有识之士的手中。我期待本书能为读者们助上一臂之力，使读者们的人生更丰富，使社会变得更美好。

最后，请允许我再次对东方音像电子出版社的许剑秋社长表示感谢。他为本书在中国的出版和普及费心尽力。同时，我还要感谢稻盛和夫（北京）管理顾问有限公司的曹岫云董事长，他深刻理解我的思想，并为本书做了精彩的翻译。在《活法》出版十周年之际，我撰此新序，以作纪念。

京瓷名誉会长　稻盛和夫

二〇一五年十一月

目 录
contents

序　章

混乱的时代中追问人生的意义

我们生活在一个不安宁的时代，世道混迷，看不清前途。物质是富裕的，精神却很空虚；衣食是丰足的，礼义却很欠缺；行动是自由的，感觉却很闭塞；只要肯努力，什么都能得到，什么都能做成，但人们却消极悲观，有人甚至犯罪或搞出丑闻。

一种压抑的气氛弥漫于整个社会，这是为什么？因为许多人找不到人生的意义和价值，迷失了人生的方向。因为缺乏明确的价值观，才导致了今日社会的混乱——抱有这种观点的人不止我一个。

针对这种现状，最紧要的就是要提出一个最根本的问题："人为什么活着？"必须从正面来回答这个问题，从而确立一种“哲学”，作为我们人生的指针。所谓“哲学”也可以称之为理念或者思想等等。

有人认为，提出并解决这样的问题，好比向沙漠撒水徒劳无益，好比在激流中打桩困难无比，但我却相信，直截了当地、单纯明快地提出这个问题具有重大的意义，特别是在鄙视劳动、热衷投机的世风之中。

如果不从根本的价值观上思考和解决问题，社会必将愈加动荡，未来必将愈加混沌——抱有这种深切的危机感、焦躁感的人也不止我一个。

在本书中，我将正面追问什么是人生的真理？生活的意义何在？人生应有的状态是什么？我将毫无顾忌地阐述我在这些重大问题上的基本思想，将我这根小小的桩打进时代的激流。

如果读者诸君能在本书中获得启示，找到生活的乐趣，度过自己幸福而充实的人生，我将感到无比的喜悦。

人生的意义在于磨炼灵魂

我们人生的意义是什么？人生的目的在哪里？对于这个人生最基本的问题，我认为必须从正面回答。我的答案是：提升心性，磨炼灵魂。

人生在世，为欲所迷，为欲所困，可以说是我们人这种动物的本性。如果放任这种本性，我们就会无止境地追求财富、地位和名誉，就会沉湎于享乐。

当然，生活需要丰衣足食，自由活动需要相应的资金，希望立身出世也是进步的动力，这些都不应一概否定。

然而，上述一切只能限于现世，再多也不能带往来世，今世的事情必须在今世清算完结。

如果说人生有不灭之物，那就是“灵魂”。当死亡来临的时候，你在今世所创造的地位、名誉、财产就得统统放弃，只能带着你的“灵魂”开始新的征程。

因此，如果有人问我：“你为何来到这世上？”我会毫不含糊地回答：“是为了在死的时候，灵魂比生的时候更纯洁一点，或者说带着更美好、更崇高的灵魂去迎接死亡。”

我们降临俗世，经受各种风浪的冲击，尝尽人间的苦乐，或幸福或悲伤，一直到呼吸停止之前，我们都不懈地、顽强地努力奋斗。这个人生的过程本身，就像磨炼灵魂的砂纸，人们在磨炼中提升心性，涵养精神，带着比降生时更高层次的灵魂离开人世。我认为这就是人生的目的，除此之外，人生再无别的目的。

今天比昨天做得好，明天又比今天做得好，每一天都付出真挚的努力、不懈的工作、扎实的行动、诚恳的修道，在这样的过程中就体现了我们人生的目的和价值。

人生不如意事十有八九。有时我们甚至怨恨神佛，为什么只让我经历那么多的苦难？但正是这些苦难才能磨炼我们的灵魂，提升我们的人格。把苦难看作考验、看作机会，我们需要这样来思考问题。

能够把考验看作机会的人——只有这样的人，才能在有限的人生中让自己的生命绽放光彩。

所谓“现世”，是上苍赐予我们提升心性的一段时间，是上苍赐予我们磨炼灵魂的一个场所。人活着的意义和人生的价值就在于提升心性，磨炼灵魂。简单地说，就是这样。

单纯的原理原则就是不可动摇的人生指针

人的灵魂可以被磨炼，也可以被污染，人的精神可以变得高尚也可以变得卑微，这取决于我们的人生态度，就是我们准备怎样度过自己的人生。

有才无德就难免误入歧途，世上这样的人为数不少，我所在的实业界也一样，有些人唯利是图，一切以自我为中心，结果干起了违法舞弊的勾当。

有才能的人干坏事，这是为什么？有道是“才子为才所累”。有才智的人很容易迷信自己的才智而走错方向，他们可以发挥自己的才干而取得一时的成功，但只靠才干必然走向失败。

越是才华出众的人越需要人生的指针，依靠它才能沿着正确的方向前进。这指针就是我们所说的“理念”、“思想”和“哲学”。

如果缺乏这种“哲学”，人格不成熟，那么即使天资聪明，但因为“才高而德寡”，这种高才就不能用于正道，结果招致挫折。企业领导者是这样，我们每个人的人生也是这样。

我用“人格＝性格＋哲学”这个公式来定义人格。与生俱来的性格，加上在人生道路上学习到、领会到的哲学，这两者相加就形成了人格。就是说，先天的性格加上后天的哲学造就了我们的人格——我们人的精神的品格。

因此，最终决定人格的是哲学，我们总是依据哲学度过一生。哲学的根基不坚实，人格的树干就长不直，长不壮。

那么，什么是我们需要的哲学呢？用一句话表达，就是“作为人，何谓正确？”也就是父母教给小孩的简单质朴的做人道理，也就是人类自古以来倡导的伦理道德。

京瓷是我 27 岁时周围的朋友帮我创办的公司，经营企业我是外行，既没有知识又没有经验，根本不知道怎样才能把企业办好，烦恼之余，我决定，姑且“将作为人应该做的正确的事情以正确的方式贯彻下去”。

这个意思就是，不可说谎，不给人添乱，要正直，不贪心，不能只顾自己等等，无论哪一条都是孩童时代家长和老师教过的——长大成人后忘了的——单纯的规范，就将这种规范作为经营的指针，作为判断事物的基准。

在企业经营方面我固然无知，但我知道做事违背道德就不可能成功，这也算是一种单纯的信仰。

这是一个最简单的基准，却又是一个很正确的原理，遵循这一原理去经营企业，就不会迷惑，就能在正确的道路上阔步前进，就能把事业引向成功。

如果要问我成功的理由，我想理由就是这一点。就是说，我的才能或许有限，但我拥有虽然单纯却非常有力的指针——追求做人的正确的准则。

作为人，是正确还是错误，是符合还是违反基本的伦理道德——我把这一条当作人生最重要的规范铭记在心，毕生坚守不渝。

当今的日本，许多人把伦理道德看作落伍的、过时的东西。第二次世界大战前，道德被错误地利用，成为军国主义思想教育的武器，第二次世界大战后的日本对此进行了反省，但又走向另一个极端，视“道德”为禁忌。但道德是人类长期培育的智慧的结晶，是规范人们日常生活必不可缺的基准。

近代的日本人以陈腐为理由排斥在过去的生活中长期积累的智慧，因为过分地追求所谓的便捷而丢失了许多宝贵的、不可缺少的东西，伦理道德就是其中之一。

回归到做人最基本的原理原则，用它来规范人们的日常生活，这是现今时代的要求，追回丢失的智慧，这样的时机已经到来。

人生真理在勤奋工作中领会

那么，怎样才能提升人格呢，修身养性具体该怎么做呢？要居深山、击瀑布，进行特殊的专门修炼吗？不必。在这世俗的社会里，天天勤奋劳作就足够了。

本书后面的章节将会详细解释，释迦牟尼谈到参悟之道，其中重要一条叫“精进”。所谓“精进”，就是拼命努力、心无旁骛、埋头眼前的工作。这是提高心性、磨炼人格最重要、最有效的方法。

一般认为，劳动的目的是获取报酬，劳动不过是谋生的手段，幸福生活应该是少劳多获、多休闲、多娱乐。抱这种人生观的人甚至认为劳动是不得不干的苦差事。

然而，劳动对人具有崇高的价值和深远的意义。劳动具有克制欲望、磨炼心志、塑造人格的功效。劳动不仅是为了生存、为了温饱，它还陶冶人的情操。

聚精会神、孜孜不倦，全身心地投入每一天的工作，这就是最尊贵的“修行”，就能磨炼灵魂、提升思想境界。

农夫二宫尊德生长于贫困之家，没有学问，就靠一锄一锹，从早到晚、披星戴月在田间耕作，诚实勤奋，持之以恒，精益求精，仅靠这一点，他把荒地变成良田，成就了伟业。

由于业绩出众，不久二宫尊德就被德川幕府起用，与诸侯们一起被邀至将军府中。尽管此前他没有学习过上层社会专门的礼法，但在言谈举止中照样流露出高贵和威严。

这说明，沾满汗水和泥土、辛勤劳作的“田间的精进”在不知不觉中耕耘了他的心田，陶冶了他的人格，磨炼了他的意志，将他的灵魂提升到了崇高的境界。

全神贯注于一事一业，拼命努力，持之以恒，精益求精，人在这个过程中，灵魂自然而然获得净化，形成其厚重的人格。

劳动的尊贵价值正在这里。讲到磨炼心志，大家可能联想到宗教的修行，但是热爱自己的工作，全身心投入，只要做到这一点，就可以达到修行的目的。

拉丁语中有一句谚语，“比完成活儿更重要的是完善干活人的人格。”但是干活人的人格必须在干活中才能提升和完善。就是说，正确的人生哲学只有在拼命工作中、在汗水中才能产生，人的精神只有在日常的、不懈的劳动中才能得到磨炼。

埋头于本职工作，不断钻研，反复努力，这意味着珍惜上苍赐予的生命中的每个今天、此刻中的每个瞬间。

我常对员工们讲，必须“极度认真”地过好每天每日，人生只有一次，不可虚度。认真的程度要达到“极度”好像很“傻”，但只要坚持这种人生态度，一个平凡的人就能脱胎换骨，变成一个非凡的人物。

世间被称为“名人”、在各自的领域中登峰造极的人们，他们一定走过同样的历程。劳动不仅创造经济价值，而且提升人本身的价值。

不必脱离俗世，工作现场就是最好的磨炼意志的地方，工作本身就是最好的修行，每天认真工作就能塑造高尚的人格，就能获得幸福的人生。希望大家铭记这一点。

改变“思维方式”，人生将发生 180 度转变

怎样做才能使我们的人生更美好、更幸福，我用下面这个方程式来说明：

人生·工作的结果 = 思维方式 × 热情 × 能力

就是说，人生和工作的成果由上述三要素相乘而不是相加得来。

首先，所谓能力，也可以说是才能、智商，多半是先天的资质，包括健康以及拥有运动神经等；而热情是指工作的干劲和努力的程度，这是后天的要素，可由自己的意志来掌控。这两者都可以从 0 分到 100 分幅度内打分。

因为是相乘的关系，有能力却缺乏热情的人，分数不高，结果不好；相反能力相对不强，但因意识到自己的不足而发奋努力，在人生和工作中充满燃烧般的热情，这样的人取得的成果，遥遥领先于那些有能力的懒人。

而三要素中最重要的是“思维方式”。甚至可以说“思维方式”决定了人生的结果。“思维方式”这个词有点笼统，它是指人的心态，人对于人生的态度，也包括前面讲到的哲学、理念和思想等等。

为什么“思维方式”最重要，因为它有正负，它可以低于零分，可以从 -100 分到 +100 分范围内打分。

因此刚才也讲了，能力强，热情高，但“思维方式”的方向错了，“思维方式”是负值，因为三者是相乘的关系，结果就导致一个相应的负值。

说出来不怕大家笑话。我大学毕业正逢就业困难期，因为没有门路，多次就职考试都不被录用。既然无法正常就业，不如干脆去当一名“知识型黑社会成员”。在这个弱者吃亏的不合理社会中，加入讲究义气人情的黑社会或许更有出息。当时我就抱有这种扭曲的心态，相当认真地思考过这个问题。

当时如果真的走上那条路，我可能会成为一个小小的黑帮头目，略有名声，然而在那样一个组织里不管多么强悍，因为“思维方式”是扭曲的、是负值，就不可能有一个幸福的人生。

那么正面的“思维方式”是什么呢？这个问题不必想得太复杂，用常识判断就行。

总是积极向上；有建设性；有感恩心；有协调性、善于与人共事；性格开朗、对事物持肯定态度；充满善意、有同情心、关爱心；勤奋；知足；不自私、不贪欲；等等。

这些语汇似乎都是老生常谈，是小学教室里贴的标语，是简单的伦理观、道德律。但正是这些，才是绝对不可忽视的真理，我们不仅要用头脑去理解，而且要让它们占据我们的心灵，变成我们的血肉。

“心想事成”是宇宙的法则

时刻不忘上述正面的“思维方式”，发挥天赋的能力，倾注全部的热情，这就是人生获得巨大成果的秘诀，就是人生成功的王道。因为这种人生态度符合宇宙的法则。

佛教里有“思念造业”的说法，所谓“业”就是“因”，就是产生现象的原因。就是说，“心中所想”就是原因，这种原因产生的结果，会在现实中出现。所以，你心中想什么，你思考的内容，非常重要。佛教就是教导人们思想中不可掺杂邪念。主张“积极思考”的哲学家中村天风先生，出于同样的理由，也告诉我们“决不可在心中筹划邪念。”

你心中描画怎样的蓝图，决定了你将度过怎样的人生。强烈的意念，将作为现象显现——请你首先铭记这个“宇宙的法则”。有人认为我这句话过于神秘而不肯接受。然而，这是从我至今为止的、各种各样的切身体验中产生的、让我确信的绝对的法则。

就是说，你心中想的是好事，是善念，你的人生就将是美好的；你总动坏脑筋，充满恶念，你的人生就不会顺畅。这条法则在宇宙中发挥着它的作用。因为“心中所想”不会立即产生结果，所以人们不太容易理解这条法则，但从 20 年、30 年这样的长时段看，这条法则灵验得很，大多数人的人生就是他自己常在心中描绘的那种景况。

因此，让自己拥有一颗纯洁美好的心灵，这是我们思考如何度过人生时的一个大前提。因为一颗美好的心灵——特别是“为世人、为社会做奉献”的思想，就是这个宇宙本身的意志。

宇宙中存在一股力量，它要让万物进化发展、变得更加美好。我们可以称这股力量为“宇宙的意志”。如果顺着“宇宙的意志”产生的潮流而动，我们的人生就会带来成功和繁荣；如果逆着这潮流而动，就必然走向没落和衰退。

所以要让世间万物更加美好，抱着这样的利他之心、关爱之心不懈地努力，那就是顺应了宇宙的潮流，就能度过幸福的人生。相反，憎恨、嫉妒他人，只想自己占便宜，充满利己之心的人，他们的人生将越发糟糕。

贯穿于整个宇宙的所谓“宇宙的意志”，充满着关爱、真诚以及和谐，它要让万物都各尽其能，让整个宇宙都朝着更好的方向成长发展。这个论断从宇宙物理学的“大爆炸”理论可以得到有力的佐证和解释。

这个问题将在本书后面的章节中详细阐述，这里只作简单的说明。宇宙的起源，只在于少量的基本粒子，这些基本粒子通过大爆炸而结合，构成质子、中子、介子，由它们再构成原子核，再同电子结合，形成最初的原子——氢原子。

然后又有各种各样的原子乃至分子生成，再由它们组成高分子，最终诞生了人类这样的高等动物。对这种宇宙进化的状况了解得越多，我们就越不能不认为，存在着一种“伟大之物”的意志，正是它促进了万物的生长发展。

我长期从事产品的开发制造，在这过程中，我常常切实地感觉到这种“伟大之物”的存在，接触到它莫大的睿智，依靠它的指引，我才开发成功了各色各样的新产品，才在人生道路上顺利地走到今天。这么讲一点也不夸张。

京瓷最初开发的陶瓷叫作“精密陶瓷”，广泛应用于电脑、手机等高科技产品。在“精密陶瓷”的技术开发上，京瓷在世界上处于领先地位并不断有新的突破。然而，在陶瓷方面我原来完全是外行，大学的专业是石油化学、有机化学。因为就职无门，才不得不进了京都一家制造属于无机化学的绝缘瓷瓶的企业。

除了我缺乏有关陶瓷的基础知识和专业技术之外，这家企业又持续亏损，只有非常简陋的研究设备和仪器。我只好天天进到现场，专心研究进行各种实验。

然而就是在这种情况下，没有多久，我居然开发出了一种全新的材料。

这种材料一年前由美国 GE 公司的研究所在全世

界首次合成成功。而我开发的材料，在结构上与GE公司的材料完全一致，而合成方式又与GE完全不同，就是说我的合成方法也是世界独创的。

没有使用精密设备按严格的顺序开展实验，在京都一家破旧的电瓷瓶工厂，一个初出茅庐的研究员，赤手空拳，居然做出了与世界一流的GE公司相匹敌的科研成果——这好比中彩，是偶然的幸运。但是，令人不可思议的是，这样的幸运后来竟然接二连三。我离开这家企业创建京瓷后，这种幸运让我和我的公司获得了快速的发展。

不断带给人类睿智的“智慧的宝库”

这是为什么呢？我认为这既不是偶然的幸运，也不是我的才能带来的结果。不妨设想，在这个世界上，在这个宇宙的某个地方，存在着“智慧的宝库”（真理的宝库），我们在无意识中从那里汲取了隐藏的智慧，激起我们思想的闪光和创造的灵感。

这“智慧的宝库”又可称为“睿智之井”。它的所有者不是我们人类自身，不妨假定它是藏匿于上苍或宇宙之中的普遍的真理，正因为接受了这种真理和智慧，人类才有技术的进步和文明的发达。而我也是因为全身心沉浸于研究，才触及了“睿智之井”的一端，发挥出创造性，获得了成功。

后面的章节里我还会谈到我创立的“京都奖”，表彰在各个领域为人类做出开创性成果的研究人员。同这些研究人员接触以后，令我惊讶的是，他们无不同我一样，都有过宛如接受神灵的启示、产生创造性灵感的瞬间。

这种创造性的瞬间，都是人们在忘我的、反复深入的研究中，在片刻的休息时，甚至在睡梦中获得。爱迪生在电气和通信领域做出了各种划时代的发明，也是因为他做出了非同寻常的努力，而从“智慧的宝库”获取灵感的结果。

在回顾这些伟大先贤们的功绩时，我深信，人类就是这样，从“智慧的宝库”中获取智慧和技能，将它们作为创造力的源泉，使生产进步、文明发展。

那么，怎样才能打开宝库之门获取智慧呢？除了倾注燃烧般的热情、持续付出真挚的努力之外别无他法。就是说，要想获得成果，必须怀抱善念拼命努力，对于这样的人，神灵才肯给予他火炬，照亮他的前进之路，才会从“智慧的宝库”中授予他一束光明，让他走向成功。

如果不是这样，就无法说明为什么缺乏知识、技术、经验、设备的我，竟然能够做出世界一流的发明创造。当时的我没日没夜，废寝忘食，抱着无论如何也必须成功的强烈愿望，埋头于研究开发，热衷的程度达到了“痴狂”。

我想，作为我努力的回报，我获得了若干“智慧的宝库”中储存的睿智。

严格自律的“王道”人生观

“智慧的宝库”是我创造的词汇，也可称之为“宇宙的摄理”或“造物主的睿智”。总之，是这种大智慧不断指引人类走向成长和发展。

然而，近年来我产生了一种忧虑，人们似乎迷失了前进的正确方向，或者说，人们误用了从“智慧的宝库”中获取的智慧，走向了错误的方向。而其元凶，在于人们丧失了正确的人生“哲学”。

就是说，人类依靠科学技术构筑了高度的文明，享受了富裕的生活。然而在这方面的成功，却导致了另一种结果，就是人们忘记了人的精神、人的心灵的重要性。从而引发出新的问题，比如破坏了地球环境。

我认为，由于科学技术的进步，人类已经插手于“神业”，开始自由地应用这种“神业”。过去只有神才可以使用的高度的技术、智慧，人类却认为这已经为自己所有，可以自由放任地使用。这种恶因产生的恶果，表现出来的就是环境的破坏。

例如，氟利昂破坏了臭氧层；农药、肥料污染了土壤和河流；二氧化碳的过度排放招致地球变暖；二噁英等环境激素对生物的影响威胁到我们生存的地球环境，甚至威胁到我们人类本身的生存。

这是因为本来应该引导世间万物走向幸福的智慧被用错了方向，曾经用来促使人类进步的武器，现在开始伤害人类自己，并可能毁灭人类。

正如前述的“人生方程式”所示，不管我们具有多高的技术和智慧（相当于方程式中的能力），也不管我们拥有多高的热情，如果我们忘记了努力去提升思维方式——哲学、理念、思想——那么其结果必将给地球带来巨大的灾难。

因此，追求正确的人生观，追求做人应有的姿态，已经不是我们个人的问题了。为了拨正人类前进的方向，为了把地球从毁灭的道路上拯救出来，我们每一个人都必须重新审视自己的人生态度。

为此，必须对自己的人生态度提出更高的标准，并不断严格自律。勤奋、诚实、认真、正直……严格遵循这些单纯的道德律和伦理观，将这些作为自己不可动摇的人生哲学和人生态度的根基。

树立作为人应有的正确的人生观，尽力贯彻到底，这才是人生的“王道”，它不仅能够指引我们每一个人走向成功和辉煌，而且可以给我们人类带来和平与幸福。希望大家把本书作为确立正确人生态度的启蒙书。

第一章　实现理想

只有主动追求的东西才可能到手——一条人生法则

世事难遂人愿——对于人生中发生的各种事情，我们无意中就会产生这种看法。然而，正因为我们有“事不遂愿就是人生”的想法，才导致了“事不遂愿”的结果。因此，不如意的人生，就产生于你自己消极的想法。

一个人的人生就是他思维的产物，许多成功哲学都这么强调。从我自己的人生经验出发，我把“心不唤物，物不至”作为自己坚定的信念。就是说，只有自己内心渴望的事情，才能将它呼唤到可能实现的射程之内。首先要明白“心不想，事不成”。

换句话说，一个人心中描绘的事情或心中的愿望，会如愿地在其人生中出现。因此要想做成事情，首先要思考“要这样、必须这样”，这种愿望比谁都强烈，热情达到燃烧的程度，这比什么都重要。

我第一次切身感受这个道理是在40多年前，第一次听松下幸之助先生的讲演。当时的松下先生还没有像后来那样被神化，我也刚开始创业，还是一名默默无闻的中小企业的经营者。

当时松下先生谈到了著名的“水库式经营”。未建水库的河流，遭逢大雨，就会引发洪涝，而连日干旱，河水就会枯竭。因此要建水库蓄水，使水量保持在一定范围之内，免受天气和环境的影响。企业经营也一样，景气时要为萧条期做好储备，经营应该留有余裕。

听松下先生这么讲，挤着几百名中小企业家的会场里，不满的声音如波纹般传开。我坐在后面，明白这些牢骚的内容。

“说什么呢？正因为没有余裕，所以大家才每天挥汗如雨、恶战苦斗，如果有余裕，谁愿意如此辛苦呢？

我们想听的是怎样才能建水库，而你现在只是强调建水库的重要性，有什么用呢？”

在交头接耳的埋怨声中讲演结束，开始答疑，一位男士站起来，表达了这种不满：“如能实现水库式经营，当然很理想，但现实是做不到。怎样才能做到，如果不教我们具体的方法，说这些有什么用呢？”

听到这个问题，松下先生温和的脸上露出一丝苦笑，沉默片刻，他便自言自语道：“那方法我也不知道，尽管不知道，但必须要建水库，你必须得这么想。”听松下如此回答，全场一片哗然。几乎所有人都认为松下先生答非所问，因而感到失望。

然而，我却既没有失笑更没有失望，不仅如此，我受到了莫大的冲击，犹如电流通过全身。我一时竟有些茫然失色，因为我感觉到，松下先生的话对我而言，是极为重要的真理。

睡也想、醒也想，持续强烈的愿望最重要

“你必须得这么想”——松下先生自言自语说出的这句话，传递了一个真理：“首先得想”这很重要。造水库的方法因人而异，不存在千篇一律的办法可教，但是，首先得有建造水库的强烈愿望，这种愿望是一切事情的开始。松下先生想表述的肯定是这个意思。

就是说，如果你内心不予呼唤，方法也不会来，成功也不会来。因此，首先得具备强烈而切实的愿望，这一点最重要。这种愿望成为起点，最终定能实现。一个人的人生，和他内心描画的蓝图一样。愿望就是种子，为了在人生这个庭院里扎根、长茎、开花、结果，种子是一切的开始，是最重要的因素。

这个贯穿我们一生的、时隐时现的真理，在松下先生有点踌躇的喃喃自语里，我初次感受到，尔后又在自己实际的人生经验中进一步学习、领会和掌握。

但是愿望要变为现实，普通程度的、随便想想的愿望是不够的，必须是“非同寻常的、强烈的愿望”，这一点很重要。“如果能那样该多好啊”这种淡然的、可有可无的、不迫切的愿望不行。愿望强烈的程度，促使你睡也想、醒也想，一天 24 小时不断地思考，透彻地思考。从头顶到脚底，全身充满了这种愿望，如果从身上某处切开，流出来的不是血，而是这种“愿望”。抱着这样的愿望，聚精会神地、一心一意地、强烈而透彻地进行思考，这就是事业成功的原动力。

能力和努力程度几乎相同的人，有的成功了，有的失败了，他们的区别在哪里？人们立即会说，那是因为运气、因为命运，但是我却认为，原因在于他们所持的愿望在高度、深度、热度、大小程度上的差异。

我这么说，有人或许不赞同，认为我的说法过于乐观。但是，废寝忘食，思考、再思考、透彻地思考，这可不是简单的行为，必须持续抱有不同寻常的、强烈的愿望，乃至不知不觉中让这种愿望渗透到潜意识之中。

在企业经营里，特别是要开展新事业，要开发新产品时，用头脑思考一下，多数人的判断是“这很难啊，不大可能成功”。如果一味顺从这种“常识性”的判断，那么“可能”也会变成“不可能”。如果真的想要做成一件新的事情，不可或缺的首先就是“强烈的愿望”。

要将不可能变为可能，首先需要达到“痴狂”程度的强烈愿望，坚信目标一定能实现并付出不懈的努力，朝着目标奋勇前进。不管是人生还是经营，这才是达到目的的唯一方法。

将要实现的状态以“彩色”在头脑中呈现

事业成功的母体是强烈的愿望。这是一种不太科学的说法，有人会把它贬为“精神论”。但是持续地思考、透彻地思考，你就会在事情还未发生前，就已经“看见了”它的结果。

就是说，不仅要有“想这么干”、“想做成那样”的强烈愿望，而且要在头脑里反复周密地推敲这个愿望实现的具体方法，将这个愿望实现的过程预先在头脑里进行模拟演练。就像下象棋，可走的棋步有几万种之多，通过一次次排练，在棋谱中消除错误的方法。这样就可以拟订出切实可行的计划。

思考推敲、反反复复、孜孜不倦，在这个过程中，通向成功的道路变得清晰，仿佛你已经走过一遍。开始只是梦想，梦想逐步接近现实，然后梦想与现实之间的界限消失。梦想似乎已经实现，梦想实现时、完成时的那种状态在头脑里，或者在你的眼前鲜明地显现出来。

用黑白显现还不够，还要让它呈现更接近现实的“彩色”——更逼真、更自然的状态。正如体育运动中的“意象训练”一样，意象充分浓缩的结果，就能看见“现实的结晶”。

反过来说，对要做的事缺乏强烈的愿望，缺乏深入的思考和认真的模拟演练，没有在事先清晰地看到事情完成后的状态，那么在人生中、在创造性的工作中就很难取得成功。

比如，在开发新产品时，满足客户在规格、性能方面的要求当然是必要的，但仅仅如此还不够。新产品必须达到一种理想的水准，就是你在事先反复思索、模拟演练时所“看见”的那种完美的状态。否则，即使达到了客户要求的标准，也不是好产品。这种低水准的产品无法得到市场的普遍认可。

以前，一位与我同年的名牌大学毕业的研究员，他与部下经过几个月的艰苦努力，做出了一件新产品。但我只看了一眼，就冷冷地说了一句“不行”，退还给他。

“为什么不行！这个产品的性能完全满足客户的要求啊。”他很不服气地顶撞我。

“不对！我期待中的是更高水平的产品，首先颜色就太暗淡。”

“你也是技术出身，什么颜色不好，请不要讲这种带情绪的话。这是工业品，请给予科学的、合理的评价。”

“不管情绪不情绪，我原来头脑里看见的就不是这种灰暗的陶瓷。”

因此不行，我命令他们重做。他们付出了辛苦、产品却被退还时他们心中的怒气，我都知道，都能体会。但是不管怎么说，做出来的东西与我事先想象中看到的东西有明显的差距——虽然仅仅是外观上的差距。

后来，他们经过反反复复的试验，最后终于成功地做出了非常理想的产品。

当时我强调要做出“会划破手”的完美无缺的产品。理想的、没有任何瑕疵的、无可挑剔的产品，让人不忍心用手摸一摸而玷污它。如果冒犯它，“手就会被划破”。

我小时候，父母经常用“会划破手”这一形容。当一个非常理想的完成品呈现在眼前时，人们欣赏它，出于对它的敬畏之心，犹豫着，甚至不敢用手去碰它。此时我父母就用“会划破手”来表达。

这一形容我也常常在无意中脱口而出。“已经好得不能再好了”，在我确信这一点之前，我将不惜任何努力。

对于瞄准“创造”这一高山之巅目标的人们而言，这种态度非常重要，甚至是他们必须承担的义务。

只要思考达到每个细节，目标就一定能实现

当然，不仅在工作中需要这种态度。在我们的人生中，想要做成某件事，我们首先要描画它的理想状态，然后把实现它的过程在头脑里模拟演练，一直到“看见”它的结果为止。换言之，就是对这件事持续抱有强烈的愿望。

首先敢于设定很高的合格线，然后反复思考推演，在头脑里让理想和现实完全重合。这样做就可以取得令人满意的、出色的成果。

有趣的是，事先能够清晰看到的事物，最后一定能以“完美无缺”的状态出现。相反，事先形象模糊的事物，即使做出来，也达不到“完美无缺”。这是我

在人生的各种经历中体验的事实。

在 DDI（即现在的 KDDI）开展手机事业时也是这样。当我预言“手机时代即将到来”时，周围的人都持否定观点，都摇头说那不可能。

“不管何时、何地、与何人”都可以用手机交流的时代一定会到来。从小孩到老人，所有的人在出生时就会配备一个电话号码，那样的时代在不久的将来必定到来。不管我的解释多么清楚，董事们却不相信，认为我的观点太可笑。

然而，那时候我已经“看见了”将会出现的情景。手机这一隐藏着无限可能性的产品，它将以何种速度、在什么范围内普及，它以什么价格、用多大的尺寸在市场上流通，这样的情景已在我头脑里清晰地呈现，我事先都“看见了”。

为什么呢？因为通过京瓷所从事的半导体零部件事业，当时我对半导体技术革新的速度、半导体产品的尺寸以及成本变迁已经具备充分的经验，由此类推，我对手机这一新产品的市场预测，就能达到相当高的精确度。

不仅如此，我还清楚地预测并设定了将来手机的通信费用：使用手机的合同费是多少，基本话费是多少，通话费的价格是多少等等。当时的事业部长，将我预测的数据在笔记本上作了记录。等到手机业务正式开始的时候，他翻看那些记录，发现我的预测和实际发生的收费体系几乎毫无差异。

不限于手机，凡是产品和服务价格的设定，通常都必须考虑市场的供需平衡，考虑投资额的回收，通过复杂和精密的成本测算才能推断出来。而在这一切发生之前，我却连服务费用也已经事先指明。“简直是神灵附身！”那位事业部长惊得目瞪口呆。其实我不过是事前“看见了”而已。

就这样，事先考虑到事情的每个细节，让它们在头脑里形成清晰的印象，那么，毫无疑问，事情就一定能成功。就是说，你事先能“看见”的东西就能做成，“看不见”的东西就做不成。因此，如果你祈愿要做成某件事，你就要把它变成强烈的愿望，一直思索到你能清晰地“看见”这件事成功时的印象为止。

你想要做某件事，产生这种愿望本身其实就是一个证据，证明你具备将这种愿望变为现实的潜在力量。人们不会去做自己力不能及的事情，不会产生超越自身能力的、不切实际的愿望。

所以，如果你自己能够描绘成功的过程和情景，那么你的成功概率就极高。闭上眼睛想象成功的景象，如果它在你头脑里能形成清晰的、符合逻辑的印象，那么你就一定能成功，你的愿望就一定能实现。

成功需要缜密的计划和精心的准备

要向史无前例的、谁也没涉足过的事业发起挑战，不可避免地会遭到周围人的反对或抵制。但是，如果在自己的心中具备“能够成功”的坚定信念，而且能够描绘理想实现时的景象，那么就应该大胆地将你的构想展开。

构想这东西不妨大胆得过点头，基于这样的“乐观论”，展开想象的翅膀，同时将周围的乐观派集结起来，他们会让你的主意、点子产生飞跃。

以前，我在冒出新想法、新点子时会召集干部征求意见，“我闪过这样的念头，你们以为如何？”每当此时，那些一流大学出来的优秀人才总是反应冷淡，他们总是告诉我，我的想法是多么脱离实际，多么缺少根据。

他们的意见自有一面之理，他们的分析也相当敏锐，然而他们列举的全是“不能成功”的消极理由。再美好的想象之花，经他们冷水一浇，也难免萎缩凋零。本来可以做成的事情也做不成了。

经过几次这样的教训以后，我就更换了商量的对象。每当要开展新的、难度大的工作时，就不找那些头脑聪明却将聪明头脑用于悲观分析的人商量，而找一些理性不足、感性有余的人，这些人对我的提案总是很有兴趣，总是赞同：“很有意思，一定要试试。”我就将他们集合起来商讨大事。或许有人认为我这种做法太荒唐。但是在事情的构思、构想的阶段，恰好需要这种由乐观派营造的乐观气氛。

但是将构想转到具体计划时，情况就完全不同了。这时应该基于“悲观论”，设想各种可能出现的风险，进行仔细、慎重的分析，制定周密的计划。大胆和乐观归根结底只是在构想的阶段有效。

然而，到了计划付诸实行的阶段，就要再次强调

“乐观论”，坚定地采取行动。就是说“乐观构想、悲观计划、乐观实行”，这是成就事业、变理想为现实时必须的态度。

这个道理，冒险家大场满郎先生的高见值得参考。大场先生是全世界第一位单独徒步穿越北极和南极的人。因为京瓷为他这次冒险旅行提供了产品，为了表示感谢，大场先生专门拜访了我。

一见面，我开口就赞扬大场先生冒险犯难的勇气。但大场先生却露出尴尬的神色，并立即否定：“不，我并没有那么神勇。正好相反，我是一个胆小怕死的人。正因为胆怯，我就不能不作细心周到的准备，恐怕这才是我成功的原因。如果冒险家一味大胆，我认为那就是他直接的死因。”

听他这么讲，我非常敬佩，不管什么事业，能成为成功者必然与众不同，因为他们手中握有真理。缺乏以小心、谨慎、周密为基础的所谓勇气，不过是蛮勇而已。这就是一代冒险家大场先生想要说出的真理。

生病领悟真理

到此为止，我阐述的是一条人生的大原则：人生是随人的心态的变化而变化。这原则是我在痛苦煎熬中领悟的，实际上我的人生曾遭遇过一系列的挫折和失败。

年轻时我干什么都不顺畅，希望屡屡落空。为什么我的运气这么差、这么倒霉呢？我的人生为什么如此不顺呢？难道老天也抛弃我了吗？我牢骚满腹，怨天尤人，愤世嫉俗。在反复的挫折中，我逐渐有了一种领悟，所有这一切苦难都是由我自己的心态所引起、所招致的。

最初的挫折体验是初中升学考试失败，接着我就染上了肺结核。当时肺结核是不治之症，而且我的两位叔父、一位叔母都因患结核而去世，我们的家庭成员被人称为“肺结核家属”。

“不久我也会吐血而死吧”——我幼小的心灵经不起这可怕疾病的打击，抱着持续低烧的疲惫身躯，我的情绪极度低落，躺在病床上，十分绝望。

这时邻居家的大婶看我可怜，借给我一本书，是“长生之家”的创始人谷口雅春写的《生命的实相》，大婶说：“你读一读吧。”

对于一个刚刚小学毕业的孩子来说，理解这本书的内容有点难度，但这时候的我急于寻求救星，虽然似懂非懂，却贪婪地阅读起来。终于，我读到了这么一句：“在我们的心中有吸引灾难的磁石，我们生病是因为我们有一颗吸引病菌的脆弱的心。”我的眼睛死死盯住这句话。谷口先生用了“心相”（心态、心的样相）这个词。人生中遭遇的一切事情都是由自己内心的磁石吸引而来，疾病也不例外，一切都不过是自己的“心相”在现实中原封不动的投影而已。

病也是心的投影，这个说法有点苛刻，但这却震撼了我的心灵。我的叔父患上结核，住在我家的偏房疗养时，因为我太害怕感染，所以每当经过叔父的房间时，我总是捏紧鼻子快速跑过。而我父亲却在叔父身边护理，尽心尽力。同时，我哥哥也认为“哪会那么容易染上！”坦然处之。就是说，只有我对亲戚患病特别敏感，特别忌讳，避之唯恐不及。

或许是天罚吧，父亲和哥哥什么事都没有，唯独我感染了。原来如此啊！我想。一颗企图逃避的心，一颗厌恶疾病的、脆弱的心最终唤来了灾难。正因为恐惧，结果将恐惧的事引到了我的身上。一颗消极思考的心引来了消极的现实。痛苦让我开始醒悟。

果然如此！心相就是现实本身。少年的我被谷口先生的话深深打动。我认真反省自己的行为，暗暗发誓今后心中要努力去想好事。然而，众生凡人可悲之处就在于此，就是说，心相、心态这东西实在不易改变，所以坎坷的、曲折的人生还将继续。

心态决定命运

谢天谢地，我的肺结核总算治愈了，可以回校读书了。然而，失败挫折与我的缘分仍然未断。考大学第一报考志愿没考上，只好进了一所地方大学。虽然大学学习成绩优秀，但毕业时，正逢朝鲜战争结束，由于战时特需而带动的经济景气告一段落，经济陷入萧条。我没有背景，没有门路，就职考试屡试不中。我们这些地方新办大学的毕业生，有时甚至连面试的机会都没有。我不禁诅咒世道不公，感叹自己命运不济。

我这个人为什么就这么命苦呢？买彩票，前后的号码都中奖，单单我的不中。反正再努力也是徒劳，我的心渐渐向坏处倾斜。前面已提到，我练过空手道，学了一点本事，不如干脆参加黑社会吧！之后我曾在闹市区一家黑社会组织门前徘徊。

最终，在一位大学教授的帮助下，我总算进了京都一家生产绝缘瓷瓶的工厂。进去后才知道这家企业非常破旧而且面临倒闭，工资迟发是家常便饭，而经营者一族还内斗不断。

好不容易进入的公司却是这种状态，和我同期进去的几位大学生一见面就发牢骚，每天商量的就是何时辞职。不久他们找到了新的工作，相继辞职而去，最后只剩下我孤家寡人。

人是很奇怪的，一旦被逼入进退维谷的境地，反倒想开了，轻松了。既然怨天尤人无济于事，不如将心境来个 180 度大转变，干脆把精力投入工作，全身心沉浸于研究吧。于是我把锅碗瓢盆都搬进了实验室，逼迫自己天天专心做实验。

作为心境变化的反映，研究成果也开始显现。看到好成果上司就表扬我，这促使我更加投入，于是又产生了更好的结果。由此进入了良性循环。

这样，我用自己独特的方法，在日本首次合成并开发成功了一种新型陶瓷材料，用在电视机显像管的电子枪上，那时电视机还刚刚开始普及。

周围的人开始对我刮目相看。我感到了工作的意义和生命的价值，至于工资迟付的问题也已经不再介意。这一阶段我掌握和积累的技术以及取得的业绩，成为我后来创办京瓷公司的重要资本。

在改变自己心态的瞬间，人生就出现了转机。此前的恶性循环被切断，良性循环开始了。在这个经验中，我明白了一个真理，就是人的命运绝不是天定的，它不是在事先铺设好的轨道上运行的，根据我们自己的意志，命运既可以变好，也可以变坏。

就是说，自己身上发生的一切事情，都是由自己的心制造出来的，这是一条根本性的原理。经过各种挫折和曲折，我终于明白了这个贯穿于人生的真理，这一真理刻进了我的心底。

经历人生的大起大落，明白了自己的命运由自己的双手开拓，即使是这样的智者，他们的幸与不幸，人生的低谷与高峰，毫无例外，也是由他们自己的“心相”招致的。自己撒下的种子，必定会在自己身上开花结果。

不错，命运这东西，在我们的人生中俨然存在，但是它不是人力无法抗拒的“宿命”。命运可以随着我们心态的改变而改变。唯一能改变命运的就是我们的心，人生由自己创造。这层意思在东方思想里用“立命”这个词来表达。

思想是画笔，人生是画布，人的思想不同，人生的画卷也不同。改变你的心态，你人生的色彩可以绚烂夺目。

锲而不舍干到底，结果只能是成功

只有坚信自己可能性的人，才能开创新事业。所谓可能性，就是“未来的能力”。只凭现有的能力来判断行还是不行，就永远无法成就新的事业，不能完成高难度的工作。

相信自己的可能性，给自己设立一个超出现有能力的高目标，竭尽全力在未来某一时刻达成这个目标。这时需要的是让“思维之火”不停燃烧。这样做不仅能获取成功，而且同时可以提升自己的能力。

京瓷初次接到 IBM 大笔零件订单时，其规格要求之苛刻简直令人难以置信。当时一般的规格要求只用一张图纸，但 IBM 却有整整一本，内容周密而且严格。几次试做都不成功。经过努力，我们自认为做出了符合规格的产品，结果却被打上不合格品的印章悉数退回。

尺寸精度比通常要求高出一个数量级，公司连测量这种精度的仪器也没有。说实话，凭我们的技术恐怕很难完成，我心里也多次动摇过。但是，当时的京瓷还是一个毫无名气的中小企业，做好IBM这个订单，对于提高京瓷的技术水平，扩大京瓷的知名度，是一个前所未有的良机。我激励有畏难情绪的员工，指示他们全身心投入，做好一切该做的事情，将拥有的技术全部注入。然而，进展仍不顺利。

项目的技术人员束手无策，茫然立于陶瓷炉前。我问道："你向神灵祈求了吗？"正所谓"尽人事，待天命"。我想说的是，你是否已经用尽了你的全部力量。

经过反反复复、异乎寻常的努力，我们终于做出了满足客户苛刻要求的完美无缺的产品。工厂连续两年多满负荷生产，数量巨大的成品全部按照交货期顺利出货。当送走装满产品的最后一辆卡车时，我不禁感叹："人的能力无限啊！"

目标看似高不可攀，但决不退缩，倾注热情，拼命钻研。这样做，就会把我们的能力提高到连我们自己也吃惊的地步。换种说法，沉睡在我们身上的巨大的潜在能力迸发出来了。

所谓“不可能”，只是现在的自己不可能，对将来的自己而言那是“可能”的。应该用这种“将来进行时”来思考。要相信我们具备还没有发挥出来的巨大力量。

那时我承接的项目，往往远远超出当时自己的技术水平。这或许是“轻率的承诺”，但却是我惯用的“手段”。从创业开始，我就主动承接连大公司也不敢接的困难课题。因为我们是刚起步的弱小的新企业，不这样做就根本接不到订单。

大企业拒绝的、需要高技术的工作，我们当然也做不来。但“不能”两个字我绝对不说出口。我也不用“可能行吧”这种暧昧的口气。而是鼓足勇气，斩钉截铁地说：“行！我们能做。”果断接下高难度的项目。每当此时，部下就露出困惑的神色，要打退堂鼓。

这时候，我总是信心百倍，认为“一定能做好”。我满腔热情鼓励大家动脑筋、出点子，而且告诉大家，这事如果做成对公司发展将有多大的贡献。让所有参与项目的人都积极迎接挑战。

尽管如此，事情却并不因此而一帆风顺。在碰到困难时，我这样激励大家：

“认为已经无能为力了！已经黔驴技穷了！这不过是前进过程中的一个时点。坚忍不拔，使出浑身解数，绝对能成功。”

的确，把明知“不可能”的事，作为“可能”承揽下来，这等于“撒了谎”。但是，从这个“不可能”的时点出发，拼死努力，最后神灵也出手相助，事情圆满完成。最初的“轻诺”、“撒谎”催生出了活生生的业绩。我就这样接二连三将不可能变为可能。换句话说，衡量自己的能力要用“将来进行时”，用这种积极的态度对待工作。

持续努力，变平凡为非凡

“遗传基因学第一人”筑波大学名誉教授村上和雄先生，针对所谓“火灾现场的爆发力”这一现象，曾做过简单明了的解释。“在极限状态迸发出的人的巨大能量，为什么平时总是‘休眠’呢？因为管理这部分功能的遗传基因，平常处于OFF状态，只要把它的开关置于ON状态，那么，即使在通常情况下，人们也可以发挥出类似‘火灾现场的爆发力’那样巨大的力量。”

但是，要进入ON状态，即开启这种潜在能力，“正向考虑”、“积极思考”等这类向前进取的精神状态，作用巨大。思想的力量能够大大拓展人们的可能性。这一点，已经在遗传基因的层面上获得了证明。

人的可能性究竟可以拓展到什么程度？凡是在人的头脑里出现“想要这样做，想做成这样”的愿望时，从遗传基因层次上讲，这种愿望大体上都在可能实现的范围之内，就是说我们人具备把自己的想法变为现实的潜在能力。

不过，志向高远固然重要，但要实现它，却需要一步一个脚印、踏实认真的努力。

当京瓷还是街道工厂时，面对不满百人的员工，我反复诉说“豪言壮语”——一定要把公司办成世界第一的公司！在当时这或许是遥远的梦想，但同时又是我心中怀抱的非实现不可的愿望。

但是，眼睛可以眺望高空，双脚却必须踏在地上。梦想、愿望再大，现实却是每天必须做好单纯、甚至枯燥的工作。在昨天的基础上前进一毫米、一厘米都要挥洒汗水，把横亘在面前的问题一个一个地解决。

“每天重复这琐碎的工作，成为世界第一要等到何年何月？”

梦想与现实之间巨大的落差常令人烦躁不安。然而，人生就是“今天”的不断积累，就是“现在”这一刻的不断延续，如此而已。

此刻这一秒的积累就是一天，今天这一天的积累就是一周、一月、一年。当意识到的时候，我们已经登上了原以为高不可攀的山顶——这就是我们人生的状态。

即使你急功近利，明天也不可能跨越今天提前到来。到达你向往的目的地，没有“一跨千里”即刻可到的捷径。千里之行，始于足下。要实现远大的理想，只能靠一步一步、一天一天踏实努力的积累。

然而，不错过今天，认真工作就能看清明天，明天再认真工作就能看清后面的一周，一周认真工作，就能看清后面的一月……就是说，即使你不去探索遥远的将来，只要全神贯注于眼前的每一个瞬间，以前看不清楚的未来的景象就会自然地呈现在你的眼前。

像龟兔赛跑一样，我自己就是这么一天一天踏踏实实走过来的。公司在不知不觉中成长壮大，我也走到了今天的这个位置。

与其莫名其妙为明天而烦恼，与其苦思冥想去制定长远的计划，还不如全力过好今天这一天。这才是实现理想最切实的方法。

天天钻研创新，孕育巨大飞跃

我不太欣赏才子，因为才子往往忽视“今天”。才子自恃才高，凭着对前景似是而非的理解，就厌烦像乌龟那样认真过好每一个今天，总想如兔子般寻找最短距离。但过于急功近利，就往往会在意料不到的地方驻足不前。

迄今为止，不少优秀聪明的人投奔到京瓷的门下，但偏偏就是这些人，据说因为看不到公司的前途而辞职。结果留下来的，不少是头脑不够灵活、平凡、连跳槽也缺乏自信的“庸才”。但是，过了十年、二十年，这些“庸才”居然成了各部门的骨干乃至领导。我看过好多这样的例子。

究竟是什么让他们从平凡变为非凡的呢？

是不厌其烦、默默专注于一件事情的力量，是拼命过好“今天”的力量，是将“今天”不断持续的力量。换言之，将平凡变为非凡的就是这个“持续”。

不选择捷径，一步步、一天天拼命、认真、踏实地工作，积以时日，梦想变为现实，事业获得成功，这就是非凡的凡人。

但是，说“持续”重要，并不是说“反复做相同的事情”。“持续”与“重复”是两回事。不是漫不经心地去重复与昨天一样的事情。而是今天胜过昨天，明天胜过今天，哪怕是微不足道，必须不断地改良、改善。这样的钻研创新是加速成功的催化剂。

可能因为我是技术出身，养成了一种习性，总是不断地自问自答：“这样做真的好吗？有没有更好的方法？”用这种眼光去审视，哪怕干一件杂差也有无限的改进空间。

举个简单的例子。比如扫地，过去一直用扫帚，这次用拖把试试怎样，或者向上司提议花点钱买吸尘器用用如何。从各种角度考虑如何打扫得更快、更干净。还可以改进打扫的步骤和方法。这样的努力就可以做到事半功倍。

无论做什么事，动脑筋改进的人与漫不经心的人相比，时间一长两者之间就会产生惊人的差距。以打扫卫生为例，每天琢磨改进的人，说不定什么时候就开起保洁公司，当上老板，承接大楼清洁工作。而不肯动脑筋，只求完成任务的人，只能永远当清扫工，天天扫地。

在昨天努力的基础上再下功夫改进，今天比昨天稍稍前进一步。想把事情越做越好，这种态度持之以恒，就能产生巨大的进步。不走老路，这就是走近成功的秘诀。

倾听工作现场的“神灵之声”

工作现场有神灵。比如，为攻克难关，千方百计反复试验仍不得要领，不断碰壁，山穷水尽。然而，当认为要绝望时，事情才刚刚开始。暂且让头脑冷一冷，再次回到现场，重新观察周围的情况。

中坊公平先生担任过多起有名案件的律师团团长，曾参与解决森永牛奶含砷事件和丰田商事事件。有幸与他相会时，我向他请教处理案件的关键要点。

中坊回答说：“事件的关键全在现场，现场有神灵。”他这句话让我再次认识到，彼此的专业领域虽然不同，工作要点却完全相同，关键是贯彻现场主义，仔细观察现场的状况。

拿制造现场来说，就要对产品、机械、材料、工具，以及各道工序，所有要素重新过滤，事无巨细，用真挚的、谦虚的目光一一审视。

可以说这是物理性的再次审视，或者说是回归事物的原点。但实际上意义更大。具体说就是面对产品和现场，用眼睛去凝视，用耳朵去倾听，用身体去贴近，用心灵去感受。

这样就能听到神灵的声音。现场和产品会发出轻言细语："用这种办法试试如何"，以此给予我们解决问题的启示。

新型陶瓷产品的制作过程，是将粉末状态的金属氧化物加压成型，然后放进高温炉里烧制。虽然与一般陶瓷器相同，但因为是供电子工业所用，精度要求极高，不允许尺寸有些许偏差，也不允许变形或颜色不匀。

创业不久，试做某个产品，放在实验炉中烧制时，产品不是这边翘就是那边曲，好像烤鱿鱼一般，样子十分难看。

经过反复试验观察，弄清了翘曲的原因。因为用压机加压时压力的差异，使产品上面和下面粉末的密度不同，这样烧制时产品就产生了翘曲。虽然搞清了这个机理，却解决不了问题，因为要做到上下粉末密度一致，事实上极为困难。

多次改进，多次试验，仍不如愿。产品究竟是如何翘曲的，我想亲眼目睹它的变化过程。我打开炉上的窥视孔仔细观察。

果然随着温度升高，产品像活物一样卷曲起来。我观察了几次，它照样翘曲，似乎完全无视我殷切的期望。我无法忍耐，“拜托了，不翘起来行吗？”看着看着，我突然产生一种冲动，不由自主就想把手从孔中伸进去，从上面将产品压住，校正它的翘曲。作为技术人员，我期盼产品完美无缺，作为经营者，烧出的废品损失让我焦虑不堪。

炉内是一千几百摄氏度的超高温，手当然伸不进去，明知如此，但不让产品变形的强烈愿望在我心中形成了巨大的压力，令我忍不住就要把手伸进去。

终于，产品给我回应了。因为“从上面压住”这一刹那的冲动给了我解决问题的灵感。只要在产品上面用耐高温的重物压住，就能烧制出完全平整的合格品。

这件事我总结如下：答案永远在现场。但是要从现场获得答案，首先从心情上说，必须对工作有不亚于任何人的热情，有解决问题的深切期待。同时，必须亲临现场，用真诚的目光仔细地观察现场，用眼睛去凝视，用耳朵去倾听，用心灵去贴近。这时我们才可能听到产品发出的声音，找到解决的办法。

这些不科学的话，似乎不应出于技术人员之口，但是，信念的执著和观察的敏锐，促使无生命的现场和产品竟也有了“生命”，给我们无声的启示——所谓“物应心愿”，一瞬间就帮助我们成功。就产品而言，就是达到了完美无缺的境界。

人生要时时“有意注意”

京瓷集团使用非晶硅感光硒鼓制造打印机和复印机。这种特殊的感光硒鼓硬度极高，即使印刷量达几千万张也不磨损。在打印机寿命期内无须更换。

这种环保产品，京瓷在全世界第一个成功实现批量生产。非晶硅硒鼓的制作，是在精密研磨的铝筒表面涂一层薄膜硅，整个表面必须以均一的厚度成膜，否则就起不到感光体的作用。但要确保这层薄膜厚度均一，技术上极为困难。

只要有千分之一毫米的厚度误差就不合格。研究的三年中，只成功过一次，再做却连续失败。

没有“再现性”，不能连续制造，作为生产企业就等于没有确立批量生产的技术。当时全世界都在攻关，没有一家成功。我也曾一度想放弃。

但我还是想再试一次，回归初衷，重新审视现场，对薄膜形成过程中发生的现象和变化，我要用自己的眼睛仔细观察，一一确认，我相信在这个过程中一定能看出些名堂，听到些信息。

我给相关研究人员鼓气，要求他们无论何时，无论看到什么现象，都要认真观察，不放过任何细节。

但是，某夜我来到现场，本应仔细观察的研究员却在打瞌睡。我听到的不是什么产品的声响，竟是他的鼾声。

我撤下这名研究员，换上目光锐利的研究员，同时将研究所从鹿儿岛迁到滋贺，将包括项目负责人在内的研究班子作了大幅调整，起用多名新人，彻底重组了多年来由固定人员构成的组织。从常识上讲，这样做风险很大，但结果却一举奏效，一年后批量生产获得成功。

对自己的工作、对自己所制造的产品的深切期盼，一丝不苟观察现场的热情，前任者缺乏，后任者具备。

在这方面严厉乃至苛刻的要求，为制造产品的企业所必需，缺乏这样的精神，新产品开发不可能成功。

有句话叫“有意注意”，有意识地去注意，就是说，抱着明确的目的，认真地将意识和神经集中到对象身上。比如，听到声响，条件反射式地转过头去，这是无意识的本能反应，叫作“无意注意”。

有意注意就是“有意图的”将自己的意识凝聚起来，集中到某一事物所有方面的一切细节上。所以上述事例中讲到的“观察”这一行为，本来必须是这种有意注意的连续。只是漫不经心地看着对象物，注意力分散，就不是有意注意。

中村天风先生十分强调“有意注意”的重要性，他甚至说：“人生如果不有意注意就没有价值。”我们的集中力有限度，始终将意识集中于某一事物相当困难。但是我们要朝这个方向努力，慢慢养成有意注意的习惯，这样我们就会具备抓住事物的本质和核心，做出正确判断的能力。

我年轻时，因为繁忙有时会站在走廊里同部下交谈。那种情况下的对答，后来往往成了问题：部下说确实跟我讲过；我却说没有听到——有过几次这种经验之后，我一概取消了在走廊里听取部下报告的谈话方式。

有话要说，有事要谈，可以在房间里或办公室一角进行，总之要在注意力能够集中的地方。做某件事时又随意听取部下的报告，这类轻率的行为，我严格自禁。

所谓有意注意，打个比方，类似于使用锥子，锥子能将力量集中在它尖端一点上，从而有效达到目的，其特点就是“集中力”。像锥子一样，把全部力量集中于一个点上，就能把事情办成。

所谓集中力，来自于思考的强度、深度、大小程度。要想做成一件事，强烈的愿望、认真的思考是起点。这种愿望、思考强烈的程度、持续的长度，以及在实现过程中贯彻的认真程度，是一切成败的分水岭。

描绘梦想使人生飞跃

关于思考的力量，有意识运用这种力量的重要性，我已举例说明。要让这种思考力发挥作用，在人生和工作中获取丰硕成果，首先必须描绘一个“大的理想”。

说什么要描绘梦想、怀抱大志，还要热切地期盼，有人或许不以为然。应付日常的生活已经够呛，哪有闲工夫来谈梦想呀希望之类的空话。

然而，一个人要靠自己的力量开创自己美好的人生，第一步，他应该拥有一个“大得有点过头”的梦想，拥有一个超越自身实力的愿望。拿我来说，把我拉到今天这个位置的原动力，就是我年轻时抱有的远大理想和崇高目标。

前文谈过，从京瓷创立起，我就立志“要让公司称霸全球新型陶瓷业”。我不断向员工们诉说我的志向。当然，那时既没有具体的战略，也没有确凿的计划，不过是一个不自量力的梦想。但是在联欢酒会等各种场合，我反反复复、不遗余力向员工们灌输这一梦想，久而久之，在潜移默化中我个人的梦想变成了全体员工共同的理想，终于开花结果。

无论梦想多么远大，缺乏强烈的意愿就无法实现。凡内心殷切祈求的东西定能到手。思考、思考、再思考，直至把梦想渗透进潜意识——而把梦想说出来，也是实现梦想的行为之一。实际上我们就是这么做的，结果一个超大的梦想几乎完全变成了事实。

梦想越大，离实现的距离就越远。尽管如此，我们还是要把梦想实现时的情景，到达梦想的过程，在头脑里反复模拟演练，将它们具体化、形象化，以至能“看见”实现的过程和情景。这样，实现梦想的真实道路就逐渐清晰。同时，在日常生活中就能获得种种启示，帮助自己一步一步接近梦想中的目标。

在街头漫步时，在喝茶放松时，在与朋友谈笑间，别人毫不留神的细枝末节，有时也会意外地给你实现梦想的提示。

见闻同一件事，有人获得重要启示，有人糊涂错过。两者区别在哪里？就在于日常有无“问题意识”。看到苹果落地的人不可胜数，但从中发现万有引力的却只有牛顿，因为牛顿具备渗透进潜意识的强烈的“问题意识”。前文述说的“神灵的启示”，成为创造源泉的所谓“灵感”，也只有心中有梦，并持续热切期盼梦想实现的人才能获得。

不管年纪多大，我们仍要诉说梦想，描绘未来光明的前景。无梦之人不会有创造和成功，他的人格也无从成长。因为人格只有在描绘梦想、钻研创新、不懈努力之中才能得到磨炼。从这个意义上，我想强调，梦想和愿望就是人生起飞的跳板。

第二章　从原理原则出发考虑问题

人生和经营的原理原则以单纯为好

我们往往有一种倾向，就是将事物考虑得过于复杂。但是，事物的本质其实极为单纯。乍看很复杂的事物，不过是若干简单事物的组合。人类的遗传基因，由多达三十亿个碱基对排列构成，但是表达基因的密码种类仅有四个。

真理之布由一根纱线织成。因此，把事情看得越单纯，就越接近真实，也就是越接近真理。抓住复杂现象背后单纯的本质，这样一种思考方式极为重要。

这可称为一条人生法则，这个法则同样适用于经营。人生与经营，根本的原理原则相同，而且单纯至极。常有人问我经营的窍门或秘诀，当我说出惯常的见解，他们不禁露出诧异的神情。那么简单的道理，他们也知道，但是用这么朴实的思想就可以经营好企业，他们觉得难以置信。

我27岁创建京瓷时，作为陶瓷工程师，我多少有了些经历，但对于企业经营，却缺乏知识和经验。然而，企业里各种问题、需做决定的各种事项接踵而来，我是负责人，每个问题、每个事项，如何应对，如何解决，最终决定必须由我来做。营销的事情，财务的事情，即使自己不懂的事情，都必须迅速做出决断。

即使是些小的问题，哪怕有一个判断失误，对于一个刚刚成立的小公司来说，也关系到它能否存续。然而，技术员出身的我却没有做这类判断所必备的知识。因为缺乏经验，“过去曾那样做过，现在这样做就行”，连这样依据经验进行的判断，我也做不到。

那么，到底怎么做才好呢？我很苦恼。左思右想，我想到了“原理原则”，所谓“原理原则”，用极其单纯的一句话表达，就是“作为人，何谓正确？”就用它作为判断基准，依照这一基准，将正确的事情以正确的方式贯彻始终。

要正直，不撒谎，不贪婪，不给人添乱，待人要亲切……这些在孩童时代，父母和老师就教导的、作为人应当遵守的基本原则，就是我们在人生历程中自然就会懂的、“理所当然”的规范。遵循这一原则规范去经营企业就行了。

作为人，是正确还是错误，是好还是坏，是可做还是不可做，这些制约人们行为的道德和伦理，应该原封不动照搬过来，当作经营企业的指针和判断事物的基准。

经营也是人做的、以他人为对象的一种活动，因此在经营活动中，什么是该做的事，什么是不该做的事，这种判断也不能偏离作为人最基本、最起码的道德规范。

人生也好，经营也好，应该遵照同样的原理原则。只要遵守这些原理原则，就不会犯大错误——我的想法就这么单纯。

正因为如此，才不会困惑，才能堂堂正正展开经营活动，这也与其后的成功相连。

迷惘时的航标——“人生哲学”

引导人们走上正确道路的单纯的原理原则，也可称之为哲学。但它不是课堂上高深的学问，而是产生于经验和实践的“活生生的哲学”。

为什么必须确立这种哲学呢？因为在人生的各种关头，当我们迷惑、烦恼、痛苦、困顿的时候，这些原理原则就成为我们抉择和行动的判断基准。

在我们的人生中，我们要对各种事情做出判断和决断。就业、婚姻、家庭、工作等等，我们被迫不断地做出选择和决断。可以说人生就是判断的积累，就是决断的连续。

就是说，过去判断累积的结果就是我们现在的人生，今后如何选择，将决定我们今后的人生。因此，有没有一个明确、正确的判断基准，我们人生的结果将完全不同。

没有基准的判断，就像没有灯光而在漆黑的夜里行走，就像没有航海图而在茫茫大海里航行。哲学这个词如果难懂，也可以换成人生观、伦理观或者理念、道德。这是我们生命的基轴，当我们迷惘时，它能把我们领回事物的原点。

现在的KDDI是我创办的DDI（第二电电）与国际通信的老大KDD及丰田系列的IDO三家企业合并而成的。2000年秋季，在大团结的口号之下形成了可与NTT分庭抗礼的新的通信公司。

当时，DDI和IDO在移动通信领域业务形式完全相同，但全国服务区域却处于两者分割的状态，这样就无法与巨人NTT docomo展开真正的竞争。这种状况下，市场竞争原理无法启动，实质上NTT docomo仍然保持垄断地位，消费者无法充分享受服务提高、费用降低的好处。

这时候我提出了合并的议案。但如何合并，是搞所谓“对等合并”还是“吸收合并”，这个调整工作极为困难。过去银行的合并有不少这样的案例，开始时双方都主张“对等”，但好不容易合并成局，各方却为争夺主导权争吵不休。

经过考虑我提出一个方案，不是三者对等，而是希望由DDI主导合并。当然，这既不是我的霸权主义，也不是要求我们公司利益优先。为了合并后新公司能顺利运行，应该让三个公司中经营业绩最好、管理基础最扎实的DDI掌握主导权。这就是我冷静判断的结论。

事业的“原理原则”在哪里？不在公司的利益或面子，而是看怎么做对社会和世人有利。为消费者提供优质的产品和服务才是企业经营的根本，也就是所谓“原理原则”。

如果是这样，单纯形式上的合并并不能履行使命，合并必须明确经营责任，才能让新公司尽快走上轨道，企业才能长期稳定运行，才能促进公平的市场竞争，才能给客户和社会带来利益。

从这个角度进行客观的判断，最好的结论就是让

DDI执掌经营主导权。同时，我还提出了未来日本通信信息产业应有的前景。我诚心诚意把自己的想法告诉对方。

而且我还提出，IDO和KDD的最大股东丰田，成为合并后持股略低于京瓷的第二大股东。

我的热情和诚意为对方接受，合并案顺利谈妥。后来KDDI的飞速发展众所周知。

不是把自己的利益，而是把他人的利益放在首位——贯彻这一经营的原理原则，最终使我们走向成功。

决不随波逐流，死守原理原则

认真确立基于原理原则的哲学，按这种哲学办，就能促使事业成功，给人生带来硕果。但这过程绝非轻松愉快。依哲学行事需要律己，需要约束和规范自己的行为，这中间伴随着许多痛苦，有时会给自己带来损失，要经历一段苦难的路程。

面前有两条路，选哪一条？当你彷徨时，我劝你摆脱一己的私利，选择那条“本来该走的路”，即使是一条布满荆棘的路——勇敢地选择“不圆滑”、“不得要领”的生存方式。

不过用长远的目光看，正确的哲学指导下的行为，绝不会带来损失，即使有一时的损失，后面必有回报，而且可以避免大错。

举例来说，现在日本还没有完全摆脱泡沫经济的阴影。当初，许多企业争先恐后参与不动产投机。只要将土地转卖就能让资产升值，预期行情还会上涨，从银行贷来巨额资金，继续投资不动产——许多企业都这么干。

房产只要持有就能升值，从经济原则看，这未免可笑。这种违背原则的行为大行其道，被认为理所当然。但是泡沫一旦破裂，可望增值的资产转眼间变为负资产，不少企业落下一身债务。

你是事后诸葛亮，泡沫破灭后才说风凉话——有人或许这么说。然而，只要你懂得原理原则，只要你持有正确的哲学，不管出现什么潮流，你都能做出正确判断。

当时，京瓷靠多年辛苦积累，已拥有巨额现金存款。许多人劝导我投资不动产。其中还有银行的人，他们见我“不开窍”，还恳切地教我如何赚钱的奥秘。

但我认为，只把土地从左手转到右手就能赚大钱，天下没有那样的好事。就算来钱，那也是不义之财，来得容易去得快。因为我这么想，所以有关投资的建议一概回绝。

“只有额头流汗，靠自己努力赚来的钱才是真正的利润”——我的信念就这么单纯。这来自做人的正确的原理原则。所以在巨额暴利的引诱面前，我能告诫自己“不起贪念”。我内心从未有过丝毫动摇。

由此可见，即使蒙受损失也必须遵循的哲学，明知吃苦也甘愿承受的觉悟——自己心中有没有这种哲学和觉悟，这就是事业成功与否、人生幸福与否的分水岭。

仅是知道不行，贯彻落实才有意义

话虽这么说，但因为人本来就是脆弱的，不刻意地警惕、自我戒备，不知不觉中就会成为欲望和诱惑的俘虏，这也是事实。

举个多年前发生的切身例子。当时京瓷已有一定规模，公司董事因公外出，可以使用配备司机的专车。有位董事下班回家要用车，但总务人员以为这位董事会忙到很晚，所以将车临时派给了急于用车的营业部长。

这位董事听说后大怒，他觉得区区营业部长有什么资格用公司专车。这事传到我耳中，我把这位董事叫来，对他这么说：

“不是因为董事有什么了不起才配备公车，准备专车是为了让担负重要工作的人不必为交通工具等杂事费心，以便把心思集中在工作上。你好好想想，一个时间一到就要回家的董事，有什么资格向在外忙碌奔波的部长发火？”

尽管董事有优先权，但这毕竟是公司的车，不是私车。这是原则也是道理。但人一旦登上高位，往往对理所当然的事情变得视而不见。我这么批评别人，其实我自己也有过教训。

创业初期，京瓷的公司用车是一辆小型摩托踏板车，由我自己驾驶。后来又买了一辆SUBARU360小型车，开始也是我自己开，因为开车时我仍然满脑子想工作上的事、公司的事，怕出危险雇用了一名司机。

过了一阵，又换了一辆大车，由司机每天接送我上下班。一天早晨，车子来家接我时，妻子正好有事出门，我随口说道：反正顺路，送送你吧。妻子却拒绝了，她认为不可以这么做：

“如果是你的私车我可以搭，但这是公司的车，不能借口顺路就公车私用。这话你以前不也说过吗？公私必须分明——所以我走路去。”

我当场哑口无言。妻子说的对，对此我深刻反省。

这些说起来都是微不足道的小事，但凡事“知易行难”，坚持实行下去不容易。由此可见，原理原则必须以坚强的意志贯彻落实才有意义。

换句话说，原理原则是正确和坚强的源泉，但同时它也很容易被忽视，不时刻用它来诫勉自己，就会被束之高阁。正因为如此，必须时刻保持一颗反省之心，对自己的所作所为自省自勉。而且把这一条也放到原理原则中去，非常重要。

“思维方式”决定人生方向

我从实际的工作、经营中学到的真理、经验法则——人们应该遵循的原理原则——每一条都平凡无奇，都可以用浅显的语言表达。但我想，正因为平凡、单纯，才与“普遍性”相通。

下面我简单地介绍几条。

首先讲“人生方程式”：

人生·工作的结果＝思维方式 × 热情 × 能力

这条法则在前文中已经介绍过。公式中最重要的要素就是“思维方式”。

想为社会、为世人做一点贡献。但是，像我这样能力平凡的人，怎样才能做出不平凡的贡献呢？经反复思考，我想出了这个方程式。此后，无论是工作还是人生，我都把这个方程式作为我思考的基础。

这个方程式的关键在于它用乘法。比如，某人头脑聪明能力可得 90 分，但此人自恃有才不肯努力，热情只发挥 30 分，两者乘积不过 2700 分。

相反，另一个人才能平庸只够 60 分，但他有自知之明以勤补拙，以 90 分的饱满热情投身工作，结果乘积为 5400 分，比那位有才能无干劲的人高出整整一倍。

然后，在这之上还要乘上“思维方式”这一要素。而“思维方式”之所以最重要，在于它有方向性，就是说“思维方式”有好有坏。根据“思维方式”的不同，有的人热情和能力向好的、正的方向发挥，有的人却向坏的、负的方向发挥。

因为这个“思维方式”存在负数，所以热情和能力分数越高，而“思维方式”是负值时，三者相乘的结果（人生·工作的结果）就是一个很大的负数。那些智能罪犯把满腔热情用在欺诈、盗窃之类的“工作”上，因为“思维方式”是负数，下场一定不妙。

既然人生方程式用乘法表述，那么“思维方式”必须朝正向发挥。否则，哪怕你才高八斗，哪怕你热情洋溢，结果不仅“抱着金碗没饭吃”，而且难免加害于社会。

后来，我读到福泽谕吉的讲演，其中有一节和我的“人生方程式”不谋而合：

思想深远如哲学家，
心术高尚正直比元禄武士，
加上小俗吏的才干，
再添上土百姓的身体，
方能成实业界之俊杰。

实业界出类拔萃的人物必备的条件——按重要程度排序——像哲学家那样深思熟虑，有武士般清廉之心，有小俗吏的才智，有农夫那样强健的体魄。这四条齐备，才能成为对社会有贡献的“大人物”。

福泽谕吉所讲的深远的思想和清廉的心相当于方程式中的“思维方式”，小俗吏的才干相当于“能力”，有强健体魄能不懈努力相当于“热情”。这样都一一对应——我因此更加强了自信，再次深切体会到思维方式、热情、能力有何等重要。

自己的人生之戏如何编演

“每一天都极度认真”——这句话非常简单，却是人生最重要的原理原则。

拿剑术作例，即使在道场练习也不用竹剑而用真剑。拿射箭来说，就要把弓弦拉成满月形状，不见丝毫松弛，在神经高度紧绷中放箭。在每天的生活和工作中，每个时刻都全力以赴、拼命奋斗，我们就可以在人生的舞台上展示自己心中描绘的梦想。

人生是一出戏，我们每个人都是戏里的主角。不仅如此，而且这戏剧的导演、编剧、主演都可由自己单肩独挑。其实这出戏也只能自编自演，这就是我们的人生。

因此，这出戏怎么编，每个人倾其一生，编写怎样的剧目，又如何领衔主演，这才是人生的头等大事。

欠缺认真和激情，度过一个懒散消极的人生，这未免太可惜了。希望人生之戏内容丰富、情节生动，那么，一天一天，一瞬一瞬，冠以“极度”二字的认真态度必不可少。

始终保持火一般的热情，不论什么时候，什么场合，什么事情，一概以“极度”认真的态度面对，这样日积月累就能创造我们人生的价值，就能将自己的人生之戏演绎得精彩纷纭。

缺少认真和热情，不管你拥有多么过人的才智，不管你希望拥有多么正确的思维方式，你的人生仍将难见硕果。想要构思情节精彩、布局缜密的剧本，想把剧目大纲变为现实，最需要的就是“极度”的认真。

无论何事都认真面对，正面迎击——有时这等于把自己逼入背水一战的境地。就是说，遭遇困难时决不逃避，抱一股憨气傻劲正面迎击。

这确实很难，但你直面的问题非解决不可，这时候，你是躲避困难，逃之夭夭；还是与困难正面对峙，正面交锋。这是能否做成大事的关键所在。

“无论如何一定要成功”这种迫切的心情——再加上如实审视事物的谦虚态度——那么，你就能抓住平日忽略的极为细微的线索，让你将难题一举解开。

我把这称为“神灵轻声的提示”。因为我感觉到，好像我们拼命努力、苦苦摸索的样子，让神灵动了恻隐之心：“既然你如此地拼死努力，我就帮帮你吧。”因此，我经常激励员工：“要努力到神灵出手相助的地步。”

与困难正面对峙，把自己逼进极限，这样的精神状态就能击破“认为不可能”的成见，催生独创性的成果。这样不断积累，就能在人生剧本中注入生命，并让它在现实中展现。

不在现场流汗什么也学不到

“体验重于知识”，这一条也是人生重要的原理原则。换句话说，“知”未必等于“会”。千万不要以为只要“知”就“会”了。

新型陶瓷的合成也是如此。这原料与那原料混合，在什么温度下烧结，就能做出什么样的制品。这些知识只要读书就能明白。但按照这种理论去做却不一定得到希望的结果。因为只有在现场反复实验的过程中才能逐渐把握其中的要领。凡事都需要知识加上经验才能“会”，在这之前不过是“知”而已。

进入信息社会，进入偏重知识的时代，认为“只要知道就自然会了”的人越来越多了。这种看法大错特错。“会”和“知”中间有一条鸿沟，只有靠现场的经验才能填补。

公司诞生不久，我去参加一个经营研讨会。讲师中有本田技研工业的创始人本田宗一郎的大名，我很想听一听这位著名企业家的高见。研讨会借用某温泉旅馆，三天两夜，参会费达数万日元，当时是一笔不小的数目。我无论如何想见见本田先生，听听他的讲话，于是不顾周围的反对去参加了。

当天，参会者进入温泉，换好浴衣，在一个大房间坐下，等候本田先生到来。不一会儿，本田先生露面了，他从滨松工厂直接赶来，穿着油渍斑斑的工作服，一开口，就给了众人一个下马威：

“各位，你们究竟是干什么来的？据说是来学企业经营的。如果有这闲工夫，不如赶快回公司干活去。泡泡温泉，吃吃喝喝，哪能学什么经营。我就是证据，我没向任何人学过经营，我这样的人不也能经营企业吗？所以，你们该做的事情只有一件，立刻回公司上班去！”

本田用他那爽朗的声音把大家训斥一通，临了又挖苦道：

“花这么高的参加费用，这样的傻瓜哪里去找？”

众人默不作声，因为本田讲得太对了！

看到本田这光景，我更加为他的魅力所倾倒：“好吧！我也快快回公司干活去。”

本田教给我们的是：在榻榻米上练游泳未免太傻。榻榻米上学不会游泳，倒不如即刻跳入水中，用手用脚划一阵子再说。不在现场挥汗，哪能学到什么经营——本田自己就是榜样。成就伟大事业的智慧只能从经验的积累中才能获得。只有亲身参与的体验才是最宝贵的财富。

拼搏在当下这一刻

满怀热情，全力以赴，聚精会神，埋头于眼前的工作，专注于现在的每一个瞬间，这样就能展望明天，开创美好的将来。

我从来没有建立过长期的经营计划。说这话，许多人会很吃惊。当然，依据经营理论，建立长期经营计划，它的必要性、重要性我也知道。但不过好今天这一天就没有明天。连明天会怎样也搞不清，五年、十年以后的事你怎能看透？

首先，认真过好今天，这是最重要的。无论你设定的目标多么远大，没有每一天脚踏实地的努力，没有日积月累的业绩，就没有成功。伟大的成果都来自于辛苦努力的积累。

不必为将来的成就莫名焦虑，只要认真过好今天这一天，自然就能看清明天。这样日复一日，五年、十年以后，就会结出巨大的果实——我这么想，这么做，经营企业到如今，其结果让我体会到一条人生真理："完整地过好今天，就能看到明天。"

我们的生命，我们的人生，本来就是有价值的、神圣的。把珍贵的人生过得碌碌无为，不仅是对生命的糟蹋，而且违背了宇宙的意志。

天地自然让我们存在，乃是这个宇宙的必需。没有一人一物偶然来到这世上，因此，这世界没有任何东西是多余的。

从茫茫宇宙看来，个人的存在或许真的太渺小，但是无论多么渺小，我们都因必然性而存在于这个宇宙。即使再小的、再微不足道的生命，哪怕无生物，都因为宇宙承认它"有价值"才得以存在。

拼命度过当下这一刻——自然界任何微小的生命活动都在无声中告诉我们这个真理。比如，北极圈的冻土地带，众多植物趁着短短的夏季一起发芽，尽量多开花，多结果实，让短暂的生命活得精彩。

为此，它们在漫长的冬季里拼命储备，努力把自己的生命延续给下一代。真可谓无杂念、全心全意活在当下这一刻。

非洲干旱的沙漠每年也会下一两次雨，每逢天降甘霖，植物也是迅速发芽，急急开花，就在短短的一两周内结子留种，然后就一直在酷热的沙中忍耐，等候下一次的降雨，让新一代的生命繁衍下去。

自然界的一切生物都在规定的期限内，紧紧把握自己生存的每一分每一秒，拼命活在当下这一刻，才使渺小的生命得以延续。花草尚且如此，我们人类岂能落后。我们必须抓紧每一个今天，“极度”认真地对待自己的人生。

我认为，这应该是我们对宇宙的承诺，宇宙让我们降生于世，并赐予我们生命的价值。同时，这也是我们人生的戏剧能够称心如意、淋漓尽致演下去的必要条件。

“喜欢”燃起热情

成就事业需要“自燃型”即自我燃烧型的人。我用“自我燃烧”这句话来表达。

物质有三种类型：

①点火就能燃烧的可燃性物质；

②点火也燃烧不起来的不燃性物质；

③靠自己就能燃烧的自燃性物质。

人的类型也一样。有的人没有任何周围的督促，他自己就能熊熊燃烧。但还有一种人很冷漠，或者很麻木，即使给他能量他也绝不燃烧，属于不燃型的人。这种人往往有能力却缺乏激情，以至将自己的能力埋没。

作为组织而言，不欢迎不燃型的人，因为他们自己冷若冰霜不说，有时还会夺走周围人的热量。所以我常对部下说："公司不需要不燃型的人，希望大家都成为自燃型的人，至少要成为可燃型的人，当自燃型的人接近你时，大家能一起燃烧。"

能做成事情的人，他们不仅自我燃烧，而且其能量还可与周围人分享。他们富于能动性和积极性，不是别人说了才干，不是等上司来了命令才动手做事，在别人吩咐之前，他们就主动带头行动，成为众人的模范。

那么，怎样才能成为自燃型的人呢？要获得自燃型这种特质该怎么办呢？我反复说过，最好最有效的办法就是"喜欢自己的工作"。"要把事情做好需要很大的能量，而这种能量要靠自我激发、自我燃烧才能产生。自我燃烧最好的办法就是喜欢自己的工作。无论什么工作，只要全力以赴把它做成，就会产生成就感和自信心，产生向新目标挑战的渴望。在这过程中就会更加喜欢自己的工作。在这样的精神状态之下，再努力也不觉得苦，就能做出了不起的成绩。”

就是说，“喜欢”就是最大的动力。意愿、勤奋以至成功，这一切都产生于“喜欢”这个母体。

俗话说，“有情人相会，千里不过一里”，“爱好才能变能手”。只要喜欢、热爱，热情自然涌出，努力也不在话下，就会进步神速。旁人看来你很辛苦，但你自己根本不觉得苦，反而乐在其中。

我因工作繁忙很少在家，邻居会关切地问我妻子：“你丈夫多晚才回家啊？”连乡下的父母也来信劝告：“那么拼命，会把身体累垮的。”

但我本人却觉得没什么，因为喜欢才干，所以不但不觉得辛苦，甚至连疲倦的感觉都没有。

实际上，缺乏对工作高度的热爱就不可能取得卓越的成果。无论哪个领域的成功人士都喜爱甚至迷恋自己的工作。可以说，彻底地喜欢自己的工作是通过工作丰富自己人生的唯一的方法。

战胜自我向前进，人生大变样

但是，有的人对自己的工作怎么也喜欢不起来，那又该怎么办呢？姑且一心不乱、拼命投入工作再说。

在这过程中，痛苦会生出喜悦。“喜欢”和“投入”是硬币的正反两面，两者之间是因果循环的关系：因为喜欢就会投入工作；在投入工作的过程中就会产生喜欢。

所以开始时即使不太情愿，也要在心里反复自我安慰说：“我正在干一件了不起的工作”，“从事这项职业是我的幸运”。这样的话，对工作的看法会自然地发生变化。

不管什么工作，只要拼命投入就会产生成果，从中会产生快乐和兴趣。一旦有了兴趣，就会来干劲，又会产生好的结果。在这种良性循环过程中，不知不觉你就喜欢上了自己的工作。

前面讲过，我自己就是这样。我大学毕业后进了一家随时可能倒闭的亏损企业，同事们一个接一个辞职离开，只剩下我一个人。我走投无路，只能想："姑且先认真把眼前的工作做好再说。"一旦下定决心努力干，不可思议的研究成果接踵而来，当然，我对研究的兴趣也就越发浓厚，投入满腔的热情，很快就进入了良性循环。

在你讨厌工作，觉得难以忍受时，你还是要多加忍耐，要下决心朝前走，要发奋努力，这将改变你的人生。

这时重要的是"战胜自己"，就是抑制利己的欲望，不能放松对自己的要求。做不到这一点，任何事情都做不成，自己的能力也不可能最大限度地发挥出来。

比如一个人学习认真，成绩得 80 分，另一个人头脑聪明，不用功也能得 60 分。后者评论前者说："那家伙拼命死读书，成绩好有什么了不起，我要是认真起来，分数肯定比他高。”

这种人进入社会，看到前者努力取得了成功，又会说：“那家伙学生时代并不怎样，我比他强多了。”贬低对方，吹捧自己。

单看潜在能力，或许他说得不错，但对工作的态度，工作热情有天渊之别，按照“人生方程式”，两者的人生结果将发生逆转。

所谓“死读书”的那位，他有自制心，想看的电影、电视不看，战胜自己，不让自己偷懒安逸，敢于从正面迎击困难。社会上的成功人士也是这样，他们能够克制自己贪图享乐之心，专注于自己的工作。而自己懒惰、逃避困难、把勤奋的人看成傻瓜、对他们的认真态度冷眼相看的人当然不会成功。

人真正的能力，应该包括抑制欲望、全力投入工作的克己心在内。不管你有多大的能力，但不能战胜自己贪图安逸之心，不肯努力奋斗，“不能发挥自己天赋之才”，从这个意义上讲，就是缺乏发挥自己能力的能力。

在人生这个漫长的大舞台上要演出雄壮的戏剧，

要取得卓越的成果，所需要的能力不仅仅是脑细胞的多寡，还包括无论何时都极度认真地工作，从正面迎击困难，不惜与困难直接交锋的态度。这是成功的唯一方法，也是我们每天都要牢记的原理原则。

诚实地、认真地、拼命地工作——这话听起来平凡无奇，但就在这平凡的语言中隐藏着人生的真理。

抓住本质，复杂问题简单化

京瓷员工之间、各部门之间往往为工作上的事发生争执，“你说的不对”，“不，事情该是这样”。彼此虽然都态度认真，直言不讳，但不免唇枪舌剑，争论不休。比如，有关新产品的价格、交货期等等，制造部门说是 A，销售部门则反驳说是 B。

当时我还是社长。每当他们各执己见、相持不下时，就会说：“那么就去社长那儿。”把问题摆到我面前，让我裁决。我先仔细听取双方的说辞，然后得出“是什么”“该怎么办”的结论。大家心服口服，“原来如此”“您说的对”。于是各自轻松满意而归，好像刚才唾沫横飞的争吵没有发生过一样。

并不是因为我地位最高可以一锤定音，而是超越纠缠不清的利害关系，冷静地分析问题，结果发现争论的原因其实极为单纯，我如实地指出这种原因并提出解决问题的方法。

比如部门间的纷争看起来复杂，但纠缠成团的线头一旦理出，原因却是疏忽了必要的联络，仅仅是少说了一句感谢的话等等，几乎都出于芝麻绿豆——多半是利己——的理由。把问题说清，回到“作为人，何谓正确？”这个本质上来，问题就迎刃而解。我的判断成为“大冈裁决”，被认为公正而有人情味。

要做出公正的、准确的判断，关键是有一双纯净的不带偏见的眼睛，不被细枝末节所蒙蔽，直奔问题的根源。

用这样的目光观察问题，不仅是企业内部的矛盾，大到国际问题，小到家庭纠纷，当事人出于各自的利害，成见、偏见一再叠加，把问题搞得复杂。

因此，越是看似错综复杂的问题，越是要赶快回归原点，依据单纯的原理原则做出决断。那些棘手的、貌似无法解决的难题，只要正面面对，以真诚的目光，根据单纯明快的原理，从是非、善恶的角度判断就能解决。

接受我的委托担任稻盛财团副理事长，又是世界著名数学家的广中平佑先生有如下卓见：“看似复杂的现象，其实不过是简单事物的投影而已。”

广中先生曾解开过前人未解的数学难题。通常，数学等自然科学的问题都要通过要素解析求得解决，但广中先生反其道而行之，从提高一个“次元”来求解。

就是说，二元的问题放在三元的视野来观察，就能得出简单明快的答案。这一观点，广中先生作了一个简单的比喻，让我们这些外行也一听就懂。

“假设有一个平面交叉的十字路口，没有信号灯，有车从四面同时开来，有的车要转弯，有的车要直行，陷入一片混乱。从平面交叉这个二元视图中，这种混乱无法解决。但是再加进‘高度’这一元，即用三元的视角来看，结果将会怎样呢？”

“就是说，在十字路口把平面交叉变为立体交叉——那样，不用红绿灯，车辆也能畅通无阻。这就是我的想法。许多情况，乍看复杂的现象不过是单纯事物的投影。所以改变观察的角度，或者提高一个层次重新审视问题，答案往往简单明了。”

广中先生一语中的。我们应该具备把事情简单化、直接抓住事物本质的“高层次的眼光”。摆脱私心、利己心的束缚，走出利害和执著的圈子，从光明正大的利他心出发，就能做到这一点。

国际问题也不妨单纯化

以前，日本和中国在从军慰安妇问题和南京大屠杀问题上发生争论。在一次座谈会上，谈及日本是否应该向中国谢罪。我认为应该谢罪，但我话音刚落，在座的大学教师们都露出了惊讶的神色。

他们的理由是：如果不是万不得已，一个国家向另一个国家谢罪是不可思议的，是绝不可行的，谢罪将有失国家权威，在国际法上也将蒙受不利。

个人感情与一国的政治应该另当别论，这一点我也能理解。然而，日本侵略了他国，践踏了别国的领土，这既然是历史事实，就应该道歉谢罪。我现在仍然坚持这个观点。

向受伤害的对方道歉谢罪——这是作为人应有的、普遍的正义感，应该超越所谓的常识和道理。这是一个在谈论国家利益和体面之前的问题，是必须遵循的理所当然的规范。虽然单纯至极，却是绝不可动摇的原理原则。所以，即使谢罪会有利益损失，事情该怎么办，就应该怎么办。

只有这种真挚的、诚实的态度才能为对方接受。反过来说，日本的道歉谢罪之所以不被中国、韩国谅解，是因为日本并不真诚，在谢罪中夹杂私心，混杂商人做交易的心态。这样一来，就把本来很单纯的问题复杂化，而且引发新的争论。在我看来，这是把简单问题复杂化的典型事例。

像这样，对于国际的纷争或经济摩擦，只要返回原点重新思考，就能看清解决问题的线索。而且问题越复杂，越要依据上述单纯的原则和实事求是的精神，进行判断和处理。只有这样，才不会被复杂的现象所迷惑，不为狭隘的心理所束缚，洞察真理，一举抓住事物的本质。

拿国家间的经济摩擦来说，发生贸易收支不平衡的原因在于“国界”的存在。各国有各自独有的政策，有各自的货币，因此产生贸易顺差、贸易逆差，引发经济摩擦。

经济全球化进展到今天这种程度，人员和商品都可以跨越国界自由流动，这时国境的划分，各国独立的政策和货币都成为障碍，造成贫富差距和经济冲突。既然如此，消除国界，把世界作为一个国家，使政策一元化，统一货币，问题不都可以迎刃而解吗？

基于如此单纯的原理和设想，以前我就提出过“世界联邦政府构想”的方案。其内容是：全世界的国家、民族都废除国界，组成一个共同体，在和平与协调中共同发展。为了实现这一理想，设立国际机构，以世界无国界化为目的，实行各种必要的政策。

与经济无国界化相并行，政治也要实现无国界。说起来这一设想或许过于大胆，而且要真正实现需要解决许许多多的课题，但我认为这绝不是纯粹的理想论，也不是什么空中楼阁。

为什么？因为在各先进国家之间，在推行经济政策时已不得不进行政策协调，事实上，国家主权正逐步受到限制。同时EU（欧洲联盟）的诞生，已成为世界联邦政府的雏形。欧洲成为一个共同体，原来各自为政的政治经济政策走向统合，统一货币欧元应运而生就是一个象征。既然如此，这种趋势向全世界扩展，绝非不可能。

有人质疑说，如果消除国家的概念，那么各个国家原有的历史和文化不也要消亡吗？然而，人类走过的历程远远长于国家的历史，今后人类还将生生不息，长久绵延下去。换句话说，首先有人，而后才有国家，而不可能是相反的。所以，国界消失，文化和历史绝不会随之消亡。

有人批判这是理想主义者的梦呓。但我认为，这种理想主义者，以及从世界“应有的理想状态”出发的理念和行动，是考虑人类未来时非常必要的。

与外国交涉，“正当性”重于常识

在人生的各种场合都要依据原理原则进行思考，采取行动，这个问题的重要性前面已经讲过。这一条在同外国人交往、与外国企业交涉时极为有效。外国人中有许多人对人生和工作拥有自己清晰的哲学，彼此可以对照各自的原理原则进行有益的讨论。

京瓷还是无名的中小企业时，我就积极向外国企业推销自家的产品。当时日本许多企业从美国引进技术，如果美国的企业认可并使用我们的产品，就会成为很好的宣传，国内企业也会跟风，都会来采用。我当时有这个如意打算。

我的英文蹩脚，却大胆闯荡美国，直接登门拜访客户企业。记得赴美前夕，我还专程去拜访住西式公寓的朋友，请教洋式马桶的用法，这玩意儿当时还很稀奇。那时代出洋机会难得，还是1美元兑换360日元的时候。

然而，驻美一个多月，不管我多么卖力到目标企业去游说促销，没有一单生意成交不说，简直是闭门羹不断。人生地不熟，不同的文化习惯让我无所适从。跑得腿发软，身出汗，得到的答复却是一连串的“NO”，还有白费心机的徒劳感。那时的艰难辛酸至今仍记忆犹新。即便如此，我仍然毫不退缩，坚忍不拔，锲而不舍，反复交涉后，渐渐有了成果，海外贸易逐步增加。

在这个过程中，我发觉外国，特别是美国，在决定事情时常把“正当性”这个词挂在嘴上，而且衡量这个正当性或合理性的尺度，不是社会的惯例或常识，而是他们自己秉持的原理原则和价值观念。

就是说，他们有一套基于自身信念的明确的哲学和判断基准，而这对我是一种新鲜的刺激，让人振奋。

其背景就是彼此的文化差异。典型的例子是法律体系的不同。日本的法律拿德国作样本，基本上是成文法。因为是依据条文做出判断，容易流于教条，这是缺点。相对于此，美国采用判例法，不过分被法律条文所束缚，而是根据各种具体的情况，由当事人对照自己的良知和原则，来判断正当与否。

在这种文化气氛的国家里，我喜欢明确原理原则的思维方式，可谓如鱼得水，非常见效。就是说，我对照原理原则认为是正当的决定和主张，他们只要认同：“的确，你的说法很正当”，那么，不管过去是否做过生意，也不问企业大小，他们很快就能做出决定，谈判效率非常高。

全球化进程中，岛国日本必须融入国际社会。不仅在工作中，在生活中也需要经常同外国人打交道，有时难免争论交锋，这种场合下，也没有必要讨好对方，曲意逢迎。

只要在道理上站得住脚，就应该堂堂正正坚持自己的主张。这么做，原本就讲究逻辑文化的欧美人反而会十二分地理解并尊重你的正当性。

随时都要扪心自问，判断的基准是不是放在“作为人，这么做究竟对不对？”这一点上。为什么？因为这个基准具有超越国界的普遍性，所以，即使彼此的文化有若干冲突，但在根基上，对方一定会理解并产生共鸣。

京瓷集团在北美的业务由位于圣地亚哥的公司统一管理，经营者是美国人，他在京瓷社内报上发表的一篇文章中有如下一段话：

“由于国家和民族的不同，文化也不一样。但在企业经营的哲学上，在人生的基本原则上，归根结蒂都是相同的。例如不管什么文化，不管什么宗教，在工作上要努力取得成果，要为社会作贡献，这些都有普遍性，都是真理。”

他代替我说出了我想说的话。无论什么国家，企业经营都需要普遍适用的哲学，用这种哲学作为判断事物的基准。而这种哲学普遍性程度越高，它的用处就越大。为此，它必须根植于“正确做人”的伦理观和道德观。正确的伦理道德没有国界，做人的原理原则超越国家差别和时代新旧，适用于全人类。

第三章　磨炼灵魂、提升心志

日本人为什么丢失了“美好的心灵”

谦虚是日本人失却的美德之一。颔首低头以示恭敬，功劳让与别人，得意时不忘形，互相礼让，秉持一颗审慎谦卑之心。

人生在世，有时需要强调自我，坚持自己的主张。但是谦虚这个有代表性的美德渐渐被我们遗忘，却不能不说是日本社会莫大的损失。生活在这个国家里不再感到愉悦，失却谦虚礼让是原因之一——这绝不是我一个人的想法。

确实，对凡人而言，要始终保持谦虚绝不是容易的事。我这么强调谦虚，但骄傲自大之心有时仍然让我有些趾高气扬。

在精密陶瓷这个未曾开拓的领域，我开发了很多新技术新产品，京瓷以惊人的速度成长发展。同样KDDI的发展也令人惊叹。周围的人异口同声称赞我，甚至吹捧我。聚会时奉我为上宾，让我坐上席，要我致辞介绍经验，这些似乎天经地义。

虽然我不断自我告诫要虚心，但久而久之，有时仍不免自我陶醉，在心底一角冒出自满情绪。我那样拼死努力，业绩如此辉煌夺目，接受这样的礼遇不是理所当然吗?

偶尔会这样志满意得，但某种境况下我又会猛然醒悟："不行不行！自满情绪要不得。"立即检点反省自己。即便已经皈依佛门，直到今天，我仍会有这种心理上的反复。

仔细想来，我所具备的能力，我所发挥的作用，并没有非我不可的必然性。别人拥有同样的才能，扮演与我相同的角色，也没有任何不妥当，没有任何不可思议之处。至今我所做的一切，别人也可以取而代之。

所有这一切，都是上天偶尔赏赐予我，我不过努力加以磨炼而已。我想，任何人的任何才能都是天授，不！才能只是从上天借来之物。

因此，杰出的才能，由这才能创造的成果，属于我却不归我所有。才能和功劳不应由个人独占，而应该用来为世人为社会谋利。就是说自己的才能用来为“公”是第一义，用来为“私”是第二义。我认为这就是谦虚这一美德的本质所在。

然而，随着谦虚精神日趋淡薄，把才能私有化的人有增无减，特别是身居要职，理应成为众人楷模的领导者，这一倾向尤为明显。曾经具备优秀传统、出色业绩的大企业，原有的组织规范、伦理道德已经废弛，以致违规违法的丑闻层出不穷。还有那些受国民委托管理公共行政、薪金来自民脂民膏的官僚，利用特权中饱私囊者也不乏其人。

大企业的领导、干部和官僚，他们的能力无不高人一等，为什么他们常常丑闻缠身、贪污渎职呢？因为他们把才能据为己有。他们认为才能纯属私有，而非从上天借来之物，不必用之于公，心安理得地把才能用于满足自己的私利私欲。

对领导的要求是德重于才

我多次讲过，在我的“人生方程式”里，思维方式、热情、能力三要素以乘积表示。

违规违法的精英们，他们都具备出色的才干，也有热情及使命感，付出的努力也在常人之上。但关键的“思维方式”出了问题，很可惜，他们的能力和努力无法用于正道。他们的错误不仅危害社会，也给自己套上了绞索。

这里所讲的思维方式是指人生态度，就是哲学、思想、伦理观等，也可以说是包括上述各项在内的“人格”。而谦虚这项品德也是其中之一。如果人格扭曲，或者人格邪恶，不管能力多强、热情多高——不！能力越强、热情越高——带来的结果是负值越大。

还有，现今的日本社会，比领导者个人素质更大的问题是选拔领导者的方式本身。我们挑选组织领导者的基准，是把人的能力、干才放在了人格之上。不重视人品，只按照能力——比如学习成绩、考试分数——来配置人才。公务员考试成绩好的人可居政府要职，或作为精英培养，就是最有代表性的例子。

第二次世界大战后的日本“经济增长至上主义”压倒一切。在这种背景之下，选拔领导者，与其注重人格这种暧昧的、难以考核的要素，不如重视与成果直接有关的能力这一要素。

比如在选举中，能为地方带来经济利益的政治家容易获得选民的青睐，在选举中胜出。重才轻德的倾向在选民中占上风，很难矫正。

但是从前的日本人却并不那么急功近利，他们具备大局观念。我们敬重的西乡隆盛说过“德高者升官位，功多者厚俸禄”。就是说，有功绩的人予以金钱奖励就行了，重要的领导职位一定要有人格高尚的人来担任。虽是百年以前的老话，却普遍适用，在今天更有现实意义。

在今天这个道德沦丧、价值混乱的时代，西乡的金玉良言更值得我们铭刻于心。凡位居人上者，比才干更重要的是他的人格。才能出众的人往往容易做才能的奴隶，把才能用错方向。因此需要有一种力量来控制才能发挥的方向。

这就是道德，就是人格。一谈道德，有人就觉得有“复古”的味道。但陶冶情操岂有古今新旧的区别。

中国明代思想家吕新吾在他所著《呻吟语》一书中明确提出：“深沉厚重是第一等资质；磊落豪雄是第二等资质；聪明才辩是第三等资质。”

这三种资质按顺序来排就是人格、勇气和能力。吕新吾希望领导者同时兼备这三种资质，如果按重要性排序，那么人格第一，勇气第二，能力第三。

时时反省，不忘磨砺人格

第二次世界大战后的日本，许多只具备第三等资质，即聪明才辩型的人物纷纷登上领导岗位。头脑聪明、口才好、有知识、有专业能力的人受到重用，而人格厚重、具备第一等资质的人却不被看重，反而遭到冷遇。

这几年来，频繁出现的许多单位的舞弊事件，再进一步说，导致今天社会道德败坏的根本原因，我认为，就在于那些虽有才气但缺乏领袖资质的人物占据了领导岗位——就是一批缺乏内在的精神规范和道德基准的人，缺乏厚重人格和深刻思想的人，在掌权执政。

干了坏事的企业领导者面对新闻记者，只会说“真不该发生这样的事”、“一定防止再次发生”等千篇一律的敷衍话，捧着事先准备好的稿子教条式地照本宣科。看不到他们作为组织负责人的真挚和诚恳，看不到他们作为领导者的人格的分量。

他们要么惊惶失措，要么掩盖搪塞，推卸责任。很少看到他们有正视现实、承担责任的勇气。该说明的坦率说明，该改正的切实改正，他们的言行中缺乏这样的诚意。他们不但没有明确的信念和哲学，甚至连事物的“善恶正邪”也区分不清。

连号称社会大众的领导者都是这么一副模样，现在的孩子们既不信任更不尊敬大人也就不足为怪了。

因此，对于领导者而言，最重要的不是能力和辩才，而是基于明确哲学的深沉厚重的人格——谦虚之心、内省之心、抑制自我的克己之心、坚持正义的勇气、持续自我磨炼的慈悲之心——用一句话说，必须牢记并坚持“正确的为人之道”。

这同中国古典中所说的要脱离“伪”、“私”、“纵”、“奢”这四种烦恼是一个意思。不可虚伪，不可自私，不可放纵，不可奢侈。要言行高洁，严于律己。这是身居高位的领导者应尽的义务，是同他的身份地位相对应的高贵的精神素养。

“要走人应该走的正道”，这简直像小学里的道德说教——有人或许会嘲笑。但是，正因为我们大人并不遵守小学生也懂的起码的道德，今天这个社会的价值观才会如此混乱动摇，人性才会如此扭曲荒废。

今天还有多少大人能够真诚坦荡地向孩子们进行道德教育呢？“那不能干”、“这样做才对”，指示明确的规范，以伦理谆谆告诫。这种有见识、有信念、人格厚重的人物还剩几人呢？每想到此，我们不禁羞愧难当。

正确的为人之道绝不是什么复杂难懂的东西，它就是孩童时代父母教导的极其简单的、理所当然的道德心——不可说谎，要为人正直，不能骗人，不可贪心——重新思考这类单纯的规范中包含的意义，严格遵循这些道德规范，在现今这个时代显得格外重要。

磨砺心志的“六项精进”

当然，不仅领导者需要磨炼心志、提升心性，所有的人都要朝这个方向努力。不仅要机敏，而且要正直；不仅要提高能力，而且要塑造人格。甚至可以说，这就是人生的目的和意义所在。我们的人生无非就是提升人性、提升心志的过程。

那么，所谓提升心志究竟是怎么回事呢？这不难，这并不是指要达到参悟的境界。我想，带着比呱呱落地时稍稍美好的心灵告别人世，这就够了。

死亡时的灵魂比出生时略有进步，就是心灵稍经磨炼的状态。抑制自我放纵的情感，让心灵宁静，让关爱之心萌芽，让利他之心滋长，哪怕是一点点。让我们与生俱来的灵魂向美好的方向变化，这就是我们人生的目的。

诚然，相对于浩瀚宇宙的历史长河，我们的人生不过是一闪而过。但正因为如此，在我们稍纵即逝的人生中，我们的灵魂在终结时的价值必须高于降生时的价值，这才是我们生存的意义和目的。这是我的人生观。进一步说，朝这个方向努力的过程本身就体现了人的高贵，就揭示了人生的本质。

饱尝苦痛、伤悲、烦恼，一边挣扎，一边又感受生命的喜悦和乐趣，体味人生的幸福。人生的戏剧一幕一幕展开，在一去不复返的现世中我们拼命地努力。

喜怒哀乐、悲欢离合的人生体验，像砂纸一样砥砺我们的心志。人生谢幕时的灵魂只要能比开幕之初高尚一点点，我们就算活出了价值，就算不虚此生。

那么怎样才能磨炼心志、净化灵魂呢？方法、途径各种各样。好比登上山顶可从 360 度任何一个方向出发，有无数条路径。

我从自己的经验中归纳出如下的“六项精进”，作为磨炼心志的指针，我认为十分重要，并向周围的人介绍。

①付出不亚于任何人的努力

努力钻研，比谁都刻苦。而且锲而不舍，持续不断，精益求精。有闲工夫发牢骚，不如前进一步，哪怕只是一寸，努力向上提升。

②谦虚戒骄

“谦受益”是中国的古话，意思是谦虚之心唤来幸福，还能净化灵魂。

③天天反省

每天检点自己的思想和行为，是不是自私自利，有没有卑怯的举止，自我反省，有错即改。

④活着就要感谢

活着就已经是幸福，培育感恩之心，滴水之恩也不忘相报。

⑤积善行、思利他

“积善之家，必有余庆”。行善利他，言行之间留意关爱别人。行善积德有好报。

⑥不要有感性的烦恼

不要老是愤愤不平，不要让忧愁支配自己的情绪，不要烦恼焦躁。为此，要全力以赴、全神贯注投入工作，以免事后懊悔。

我经常将这“六项精进”挂在嘴上，提醒自己实行。虽然字面上平凡之极，都是理所当然的事情，但必须一点一滴去实践，融入每天的生活之中。不是把这些道理当成摆设，关键是在日常生活中贯彻落实。

将感谢刻于童心的“隐蔽念佛”

现在这个时代物质富裕，可是人心贫乏、精神空虚。这个矛盾越来越突出。前文“六项精进”中的“感谢”之心也日益淡薄。我认为，进入物质充裕的时代，对“知足心”、“感谢心”需要重新审视。

我年轻时社会还很贫困，当时我认为人生在世最重要的、而且我努力去做的是“诚实”二字。

对人生对工作，尽可能做到诚实。不马虎，不偷懒，拼命地工作，认真地生活。我认为，这对经历过贫苦时代的日本人来说并不稀奇，这是融入当时日本人血肉的一个特征，也是一种美德。

不久，经济起飞，社会变得富足、安定，京瓷的经营也上了轨道，规模扩大。这时“感谢”在我心中占的位置越来越大。诚实的努力带来了丰厚的回报，此时，“感谢”之情在我心中油然而生。这种体验反复多次以后，“感谢之心”在我身上成形，成为我生活中始终贯彻的道德准则之一。

回顾自己，这“感谢之心”就像地下水一样，滋润着我道德观的根基。而这与我在幼年时的体验密切相关。

我的老家在鹿儿岛，四五岁时，父亲带我去参与过“隐蔽念佛”。所谓“隐蔽念佛”，是在德川时期“一向宗”受到萨摩藩的打压，那些虔诚的佛教徒把宗教仪式偷偷保存下来，直到我年幼时，还保留着这种信仰方式。

我们和几对父子一起，在日落后暗黑的山道上借着灯笼的亮光，一步一步攀登。大家默默无语，在恐怖和神秘气氛的笼罩下，幼小的我也拼命地紧紧跟在父亲后面。

登山的终点是一户人家，进去一看，佛龛里摆放着气派的佛坛。身穿袈裟的僧人在前面诵经。屋内零星点着几支小蜡烛，十分暗淡，我们各自坐下，融入那昏暗之中。

孩子们端坐在僧人后面，静听那低沉的诵经声。诵经结束，孩子们按指示一个接一个向佛坛献香进拜，我也照着做了一遍。

这时候僧人会对孩子简单地说几句话，有的孩子被要求再来，而我听到的却是："你已经行了（可以不用再来了），今天拜过就好了。"

接着，那僧人又说："从今以后，你每天都要说'南无、南无，谢谢！'向佛表示感谢。活着的期间，只要这么做就可以了。"然后他转向我父亲说："这孩子以后不用再带来了。"这好像给我的人生下了个保证。

记得当时幼小的我，好像通过了什么考试，又像得到了师父真传，又自豪又高兴。

这是我最早的宗教体验，印象深刻。我想，当时我学到了感谢的重要性，这种意识塑造了我心灵的原型。实际上一直到现在，只要有什么事，"南无、南无，谢谢！"这句话在无意识中就会脱口而出，在我耳边回荡。

我拜访欧洲的教堂，为教堂庄严肃穆的气氛所感动，这时候我也会情不自禁地念诵这句话。这句“祈祷”的话语，已经超越宗教、宗派，融入我的血肉，已经成为渗入我内心深处的“心灵的口头禅”。

随时准备说“谢谢”

“南无、南无，谢谢！”这句祈祷词小孩也很容易记住。这句话开启了我的信仰，在我身上培育起感谢之心。

把这句话挂在嘴上，无论对谁，无论什么事，好事当然，即使碰上坏事，照样心存感谢，养成这种心态，才能坚守正道。

祸福如同交织的绳索——坏事好事交替发生，这就是我们的人生。因此，好也罢，坏也罢，晴天也好，阴天也好，一概怀抱感谢之心。不仅幸运时，即使遭遇灾难，也要说声谢谢，表示感谢。好歹现在自己还活着，上苍还让自己活得好好的，就冲这一点，也该感谢。我常在内心告诫自己，只要实践这一条，就能提升自己的心志，走出开启幸运的第一步。

但这话说起来容易做起来难。不管是晴是雨，都不忘感谢，人要达到这种境界简直太难了。碰到灾难，你说这也是修行，也该感谢，人家哪有这样的情绪。“为什么就我这么倒霉！”不仅不感谢，还要怨恨，恐怕这就是人性吧。

那么，好运惠顾，事情一帆风顺的时候，感谢之心就自然而生了吗？那也未必。“好事！那是我该得的，理所当然。”——人往往这样想。“这点好处怎么够！”——还一心想得寸进尺。人一起贪念就把感谢丢在脑后，也从此远离了幸运。

“无论遇到什么事情都要感谢。”我们必须用理性把这句话灌进自己的头脑。即使感谢的情绪冒不出来，也要说服自己。就是说，随时都准备说一声“谢谢！”持有这种心态非常重要。

困难来了，那是成长的机会，应该感谢。好运降临，更是难得，当然也要感谢——时刻准备说“谢谢！”有意识地在自己心中预留感谢的空间。

进一步，还可以这么去想：感谢来自于满足，不满足不会产生感谢之心。但是，满足不满足到底是怎么回事呢？多的就满足，少的就不满足，问题有这么单纯吗？

从物质层面讲也许如此，但是，得到相同的东西，有人不满足，有人却很满足。有人所得不多却很知足，有人无论得到多少，永不知足。有人老是愤愤不平，有人却总是心满意足。

因此，归根到底，这是一个精神层面的问题，是一个心态问题。不管物质条件如何，只要具备感谢之心，就能品味满足的感觉。

喜悦要直率表露

如果说感谢之心是幸福的源泉，那么率直之心可以说是进步之母。让自己心里不舒畅的逆耳之言，照样认真倾听。如果自己有错，那么不是等到明天，而是今天立即纠正。这样一颗率直之心能够提高我们的能力，提升我们的心志。

松下幸之助先生一贯强调“率直之心”非常重要。松下先生自己没有学问，所以总是用主动请教别人的方法促使自己进步。这一信念松下先生终生不渝。后来他被誉为“经营之神”，被人们神化了，但他自己依然贯彻“一辈子当学生”的信条。我认为这种虚怀若谷的精神才是松下先生真正的伟大之处。

当然，所谓“率直之心”并不是别人要你向右转你就向右转，并不是盲目顺从，而是抱着谦虚的态度，如实承认自己的弱点和不足，然后不惜一切努力奋斗。具备一对虚心聆听他人意见的大耳朵，具备一双真诚审视自己的大眼睛，耳聪目明，充分发挥耳朵、眼睛的作用。

谈到“率直之心”，让我想起我当研究员时的事情。每当我专心致志做实验，实验出现了预期的结果时，我会情不自禁，高兴得跳起来：“啊，太棒了！”我用整个身体来表达这种喜悦。

然而，这时候我的一位助手却总是用冷冷的目光注视我。

有一次，我又兴高采烈地要跳起来，并对这位助手说：“你也该高兴啊！”不料，这位助手却无动于衷，一副兴味索然的模样，不屑地抛出一句：“你还真是一个轻浮的人。”

他接着说：“为了这点芝麻绿豆的小事，‘太棒了！太好了！’开心得眉飞色舞。值得男子汉高兴得跳起来的事情，一辈子有一两次就不错了。而你动不动就高兴得手舞足蹈，未免太轻率，会被人瞧不起的。”

他这一席话犹如一盆冷水，让我从头到脚感觉一阵冰凉。

我稍稍稳定了一下自己的情绪，这样反驳他：

“你的说法或许有道理。但我认为，研究出了成果，哪怕是微不足道的成果，也应该把自己喜悦的心情直率地表达出来。即使看起来有一点轻浮，但是，把发自内心的喜悦之情、感恩之心直率地表达出来，可以成为一种动力，激励我们持续这种枯燥的研究和单调的工作。”

我的说辞中虽然带了几分苦涩，但却简单明了地表述了我的人生哲学和信条。

那就是，不管什么小事，只要开心，只要感激，就要率直地表达出来，不绕圈子，不装深沉。这种心态的重要性，我不假思索就对这位助手说了出来。

天天反省是为磨炼心志而不可须臾忘却的实践，但它也是“率直之心”的产物。因为无论你主观上多么希望保持谦虚，但不知不觉中就会装出什么都懂，摆出自以为了不起的臭架子。这就是人的常态。

骄傲、自满、得意忘形、疏忽、失误，每当意识到这一类过错的时候，给自己一个认真反省的机会，重念严格自律的紧箍咒。只有坚持天天反省的人才能不断提升自己的心志。

“神啊，对不起！”——我常常脱口而出，用这句话表示反省之意。无意中逞了威风，说了过头的话，回到家里，或在宾馆的房间里，我就会向神忏悔：“神啊，我刚才的态度错了，请您原谅我。”告诫自己今后不再重犯。

因为我反省时会大声说出来，像孩子一样。如果让人听见，会认为我神经不正常。所以，总是等到只剩我一人的时候，以率直之心，说出自省自戒的话语。第二天再以谦虚的姿态重新开始，将“终生当学生”的信条铭刻于心。

“神啊，对不起！”，“南无、南无，谢谢。”这两句话成双结对，是我的口头禅。用这两句短短的话语表达我的反省之心、感谢之心。同时这两句话也是规范自我的单纯明快的指针。

托尔斯泰的感叹

除了感谢之心、反省之心以外，要净化并提升我们的人性，最重要的一环就是抑制自身过度的欲望。“贪欲”之念最难对付，它牢牢地根植于人的内心深处，不易拔除，而且它的毒性最强，它能腐蚀人的灵魂，把人引向歧途。

释迦用下面一段故事来形容人的贪欲，描绘人如何沉溺于欲望的情景。故事稍稍长一点，但我仍想给大家介绍。

深秋时节某一天，在落叶和寒风中，有位旅人行色匆匆，赶路回家。走到某处突然低头一看，脚下一片白乎乎的东西，仔细一瞧，竟是人骨。此处怎么会有如此大量的人骨呢？他不禁毛骨悚然，又不得其解。只顾往前奔走，抬头看时，迎面走来一只体格巨大的老虎，咆哮着向他逼近。旅人直惊得魂飞魄散："啊！那么多人骨原来是老虎吃剩的残物。"他急忙调头逃命，然而慌不择路，一阵猛跑竟然跑上了悬崖峭壁，峭壁之下是怒涛汹涌的大海。前无去路，后有猛虎追逼，进退维谷之际，他爬上了崖边仅有的一棵松树，但那恶虎紧随其后，张开骇人的巨爪，也开始爬树。

"今天我命休矣"，正当他万念俱灰时，忽然看见树上垂下一根藤条，他顺着藤条往下滑去，那藤条却不着底，旅人被悬在半空之中。

上面是老虎伸着舌头、流着口水盯着他，正所谓"虎视眈眈"。再看下面，狂风大浪之中出现红、黑、蓝三条巨龙，正等着他掉下去时可一饱口福。

忽又听到上方有窸窣之声，定睛一看，黑白两只老鼠正在交替啃咬那藤条的根部。藤条一旦被鼠牙咬断，旅人只好落入张开巨口的恶龙腹中。命悬一线之际，旅人想到将老鼠赶跑。于是拼命摇晃那根藤条，摇摆之下，有湿漉漉、暖烘烘的液体落到他脸上，用嘴一舔，是甜美的蜂蜜。原来藤条根部有一蜂巢，一经摇动，蜂蜜就掉落下来。

舔着甘露般的蜂蜜，旅人居然陶醉起来，以致忘记了自己身处绝境——虎龙夹击，得以苟延残喘的藤条正被老鼠啃噬——还在一次又一次摇动救命的藤条，忘情地享用美味的蜂蜜。

释迦的故事描述了利令智昏的人类的实相。死到临头竟然沉醉于蜜汁之中而不能自拔，这就是我们人类无可救药的宿命。

据说俄罗斯大文豪托尔斯泰得知这个故事后大为惊叹而且非常佩服。他说："再没有任何故事能将人类的贪欲表达得如此淋漓尽致。"的确，把人的本性、人的欲望之深，刻画得如此惟妙惟肖的寓言可谓绝无仅有。

在这里，老虎暗喻死亡和疾病；松树代表世上的地位、财产和名誉；白黑两鼠表示白昼和黑夜，也就是时间的流逝。人在不断逼近的死亡的威胁中拼命求生，而维系生机的仅是一根藤条而已。

而这根藤条也随着时间的推移不断磨损。我们想逃离死亡，但死神却一年一年逼近我们。然而，即使折寿，哪怕缩短生命，也要去吸食“蜜汁”——切不断那可怜、可鄙又可悲的欲望。释迦告诉我们，这就是赤裸裸的人类本性。

切断蛊惑人心的“三毒”

前文故事中的“蜂蜜”是指满足人类欲望的各种各样的快感和享乐。而等待旅人落下的“龙”，是人们心造之物，它如实影射人们丑陋的思想和欲望。

红龙比喻恼怒，就是“瞋”；黑龙比喻欲望，就是“贪”；蓝龙比喻忌妒、憎恨、发泄不满，就是“痴”。佛教称这“贪、瞋、痴”为“三毒”。三条恶龙就隐喻这三毒。按释迦的说法，这就是“糟蹋人生”的三大要素。

据说人的烦恼有108种之多，特别是其中的“贪、瞋、痴”这三毒，是使人痛苦不堪的“元凶”，是死死缠住人心、不肯须臾脱离的“毒素”，人们即使想摆脱它们却总是摆脱不了。

人这种动物，每天每日都要受这“三毒”的影响乃至控制。想比别人生活得更好，想早日出人头地，这一类物欲、名利欲潜藏在每个人的心里。当这种“欲望”无法实现时，就转为“恼怒”：为什么自己不能如愿以偿？同时又反过来“妒忌”那些有钱有名的人——大多数人都会受上述情绪的支配和摆布。

在这一点上，就是小孩、婴儿也毫不例外。拿我的孙儿来说，当我疼爱其中一个，另一个马上露出妒忌的神情。才两三岁的孩童，就已经像大人一样，受到了烦恼的毒害。

当然，欲望和烦恼是人类生存的原动力，不可一概否定。但是它们同时又具有“剧毒”，一不小心，就会让人陷入痛苦和焦虑，甚至断送了人的一生。

细细想来，人还真是遵循因果辩证规律的动物。人生存必不可缺的动力之中，却含有陷人于不幸、甚至致人死亡的毒素。

因比，重要的是尽可能“摆脱欲望”。要完全消除三毒不可能，但可以努力去抑制它们、控制它们。在具体做法上没有捷径，但只要将诚实、感谢、反省这一类“简单易行的修炼”持续实践就行。另外，平时养成用理性判断事物的习惯也很重要。

例如，日常生活中我们必须对各种各样的事情做出判断。这时，瞬间产生的第一反应，往往出于本能，即出于欲望。因此，在正式应答前，暂且保留条件反射式的判断。暂停片刻，吸一口气，然后自问自答：

“我这个想法，这样判断，是否出于个人欲望，是否夹杂私心？”

这样做非常重要。就是在做出结论之前，先设置一个“理性的缓冲器”，使你的判断不是基于单纯的欲望，而能接近于理性。在“思考”这一过程中预设一个“理性的程序”，对于摆脱欲望而言极为有效。

控制住欲望，也就是抑制了私心，利他之心就会抬头。先人后己的利他心，是人一切德行中最美好、最高尚的品格。

忘我利他，把自己放在后面，先为世人为社会尽力。当这种利他心呈现时，人就不再为欲所迷。而且有了利他的想法，烦恼的三毒就开始消解，原本“纯洁的心灵”就能从庸俗的欲望中解脱出来，重新描绘美好的愿望。

拔“正剑”成功，拔“邪剑”灭亡

关于利他之心，本书下一章将详细阐述。你的愿望——只要出于为社会为世人的美好心灵——就一定能实现。因为最高尚的愿望一定能带来最理想的结果。

相反，基于私利私欲的“污浊的愿望”，即使一时能实现，一时能成功，最后必然以失败告终。借用华歌尔企业创始人冢本幸一先生的一句话，那失败是因为“拔出了邪剑”。

我和冢本先生都是京都的企业家，交往甚密。他是英帕尔战役的幸存者。太平洋战争末期，日军在缅甸英帕尔地区发动了愚蠢而惨烈的攻击战，伤亡惨重。冢本侥幸生还，回到日本。他隶属的小队有士兵55人，活下来的只有 3 人，冢本是其中之一。

在第二次世界大战后的混乱中，冢本做起了饰品生意，不久便创立了华歌尔。因为有过九死一生的经历，冢本常说：“我有神灵相伴。”因为神灵保佑，所以事业一帆风顺，想干什么全都如愿以偿。

有一次，冢本向他的心腹助手兼副社长讲到上述话题时，这位副社长说道：“社长说得不错。但是，当你拔出‘邪剑’时，情况就不同了。”

“社长有两把剑——正义之剑和邪恶之剑。因为你拔了正义之剑，所以事事顺畅，一切问题迎刃而解。但是如果你要拔出那邪恶之剑，你照样会挫折失败。”

“这就证明社长确有神灵相伴，当你拔出正剑时，神灵就鼎力相助，当你拔出邪剑时，神灵就冷眼相向了。”

“副社长一语中的。神灵是明察秋毫的。”冢本先生深为感叹。听了这话，我亦有共鸣。

所谓“邪剑”是指“卑劣的愿望”，只打自我损益的小算盘，思想中充满私利私欲。这样的愿望再强烈，至多只能获得一时的成功，这种成功不可能持续。

相反，我们强烈祈求某种愿望一定要实现，并为此拼命奋斗，而这种愿望是摆脱利欲之心的高尚的理想，那么它就一定能实现，而且能够长盛不衰。

为了达成愿望，竭尽全力，绞尽脑汁，仍然无法进展，一筹莫展，山穷水尽，但就在这种时候，意想之外的灵感，想象不及的智慧，似天启般突然闪现，感觉是宇宙造物主在自己背后着力推动。

天网恢恢，疏而不漏——别以为神灵看不到。人的一切所思所为，是非曲直，神灵全都看在眼里。所以，如果你想获得成功，想让成功持续，那么，你描绘的愿望，你怀抱的热情，都必须纯洁无瑕。

因此，首先要舍弃私心，用清澈的心灵思考问题，依据这种思考拔出“正剑”，事业就能成功，人生就会幸福美满。

劳动的喜悦是人世最大的喜悦

关于磨炼心志、提升人格，前面我谈了若干方法。而要成就事业，要充实人生，“勤奋”必不可少。就是要拼命努力，全身心投入工作。通过勤奋工作，人们可以提升自己的精神境界，获得厚重的人格。

我认为发自内心的欢喜和快乐，存在于工作之中。我这么说，肯定有人反对：“工作工作，只讲工作难道不乏味吗？人生需要兴趣和娱乐。”

然而，兴趣和游玩获得的快乐，只有在充实的工作之余才能品尝。工作马马虎虎，只想在兴趣和游戏里寻觅快活，充其量只能获得一时的快感，决不会尝到从心底涌出的惊喜和快乐。

当然，来自工作的喜悦，并不像糖果那样，一放进嘴里就甜味十足。有格言道：“劳动有苦根甜果。”喜悦从苦劳与艰辛中渗出，工作的乐趣潜藏在超越困难的过程之中。

因此，劳动获得的喜悦是特别的喜悦，玩耍和趣味根本无法替代。聚精会神，孜孜不倦，克服艰辛后，达到目标时的成就感，世上没有哪种喜悦可以类比。

人类活动中，劳动带来至高无上的喜悦，工作占据人生最大的比重。如果不能在劳动中、在工作中获得充实感，那么，即使在别的方面找到快乐，最终我们仍然会感觉空虚和缺憾。

认真工作带来的果实，不只是成就感和充实感，它还起到修行的作用，磨炼人格，奠定我们做人的基石。

在禅宗的寺庙里，僧侣们要煮饭，要打扫庭院，要做日常生活中所有的杂差。这同坐禅具有同等的意义。就是说，认真投入日常生活中的劳动，与通过坐禅获得精神统一，这两者之间并没有本质的区别。这就告诉我们，日常的劳动也是修行，只要全身心投入，也能进入开悟的境界。

所谓开悟，就是提升心性。磨炼心志要达到的最高境界，就是开悟。而开悟的方法，就是释迦所开示的“六波罗蜜”。

将释迦的“六波罗蜜”铭刻于心

在修佛的道上，要接近开悟的境地，就要实行“六波罗蜜”，这是菩萨道，是磨炼心志、净化灵魂不可缺少的修行。有如下六项：

①布施

具备为世人为社会尽力的利他之心。先人后己，关爱别人，抱着这种意识度过人生，这一点非常重要。

所谓布施，本来的意思是施舍。即使付出自我牺牲，也要为众人尽力。没有能力这么做，也要具备这样一颗与人为善之心。

心中充满关爱他人的善念，人就能够提升自己的心性。

②持戒

这一条强调遵守戒律的重要性，作为人不可为的恶行必须戒除。前文提到，人抱有种种烦恼，很难摆脱“贪、瞋、痴”这三毒的纠缠。正因为如此，必须着力抑制这类烦恼，控制好自己的言行。不要贪心，不要猜忌，不要嫉妒，不要憎恨……抑制上述欲望和烦恼，就是持戒。

③精进

无论做什么都要全神贯注，全力以赴，就是要努力。但这种努力，必须做到“不亚于任何人”的程度。在序言里，我介绍了二宫尊德的事例，像他那样拼命精进，才能提升心性，磨砺人格。古今东西所有伟人概莫能外。

④忍辱

不屈服于苦难，忍得住痛楚。人生本来就是波澜万丈，我们活在这世上，会遭遇各种艰难困苦，但是决不能被它们击垮，决不能逃避，硬着头皮顶住，努力做好该做的事。这就能锻炼我们的意志，提升我们的人格。

⑤禅定

浮躁的社会，紧张的工作，快速的节奏，在这样的氛围中，往往无暇深入思考问题。但正因为这样，至少每天一次，我们要静下心来，集中精神，直视自我，将动摇之心镇定下来。不必打坐，也不必冥想，在忙碌之中，腾出片刻工夫，静心养性。这一点非常重要。

⑥智慧

实行上述布施、持戒、精进、忍辱、禅定五项修炼，就可以理解宇宙的“智慧”，就是达到开悟的境界。到那时就能够接近主宰天地自然的根本规律，即宇宙的真理，换句话说，就是接近释迦所说的智慧。

每天的劳动磨砺心志

六波罗蜜中的六项修炼，是踏入悟境之道。其中“精进”——不惜努力、拼命工作这一条，在我们日常生活中最容易实践，也是提升心性最基本、最重要的方法。

换种说法，我们要提升自己的人格，不需要进行特别的、艰难的修行。在日常生活中扮演好社会赋予自己的角色，或者对于自己应该做好的事情——公务、家务、学习——都要尽心尽力，孜孜不倦，锲而不舍。这个过程本身就是磨炼人格的修行。

也就是说，就在日常的劳作之中，就有一条磨炼灵魂、提升心志、通向悟境之路。

比如，一位修建神社的木匠师傅，他花了一生的心血，在一个领域内从事一项职业，踏实工作，精益求精，持之以恒。在提高技能的同时磨炼了人格。我常为这种人物的魅力所倾倒。卓越的技能不必说，从工作体验中所归纳的坚定的哲学，所养成的厚重的人格，以至敏锐的洞察力等等，让我从内心深感钦佩。

从年青时期干到七十岁、八十岁，心无旁骛，一条道走到底，历经锤炼，这种人物的分量、人格的魅力，不用多说，就能让人肃然起敬。

“树木里寄宿着生命。”

“树木正在对我倾诉。”

这种动人心魄的语言，沉默寡言的木匠师傅偶尔脱口而出，他的风貌，在我看来，其崇高和可贵，简直不亚于任何一位伟大的哲学家或宗教家。

努力不休，不畏艰辛，潜心钻研，坚忍不拔。在这种精进的过程中，他们达到的境界，那种人格的高度、心灵的深邃，非同凡响。我想许多人都会认同我的这种感觉。

从这种人身上，我再次认识到劳动的珍贵，深刻感受到“参悟就在每天辛勤的劳作之中”。

不仅是工匠，在体育界也一样。美国职业棒球大联盟著名选手铃木一郎，也是通过“精进”，成了名将高手。据说，从小学时开始，他就梦想加入大联盟，为此一年 365 天挥棒不休。

在玩兴正浓的少年时代，就已经明确制定了自己的目标，朝着这目标，默默努力，刻苦钻研。“你要我打支全垒打，我随时都能打。”他高中时就说过这话。有自信敢这么说，背后就是他一贯的“精进”。这里面没有丝毫的傲慢之意。这种精进的结果，造就了今日铃木一郎的辉煌。

要到达名人高手的境地，缺乏地道的精进，那是不可能的。我们要从内心喜爱自己的工作，付出不亚于任何人的努力，全神贯注投身于工作，通过这条道路——也只有通过这条道路——我们就会懂得人生的意义和价值，磨砺心志，提升人格，领悟人生的真谛。

重新认识劳动和勤奋的价值

这一章开头谈到谦虚这种美德，现在是论述勤奋的美德。我认为，勤奋也是我们应该重新思考、重新召回的精神品格。

近代以来，尤其是第二次世界大战以后，劳动这一行为的意义和价值，被过度“唯物化”了。劳动的最大目的是获得物质的富裕，因此，所谓工作，变成了付出时间获取报酬的手段。我们已经习惯了这种思维方式。

既然劳动是为了获取金钱报酬而不得不干的苦差事，那么少劳多得，工作尽量要轻松，钞票尽量要多拿，这种想法就变得“很合理”，似乎天经地义。这样的劳动观蔓延到整个日本社会，甚至渗透到教育机构。

但是，教师对成长期儿童的人格塑造具有举足轻重的影响，教师必须帮助指导孩子们健康成长。因此，教师这个职业，超越单纯劳动的概念，教师应该以自己的整个人格去面对和影响学生。教师是一种尊贵的职业，是所谓“圣职”。

但是现在，老师们自己抛弃了这种自豪感，认为自己不过是一个劳动者，不过是机械地向学生传授知识，不过是出卖自己的时间来换取报酬。他们贬低自己的作用和地位，失却了为人之师的尊严和真诚。现在教育荒废，连课堂纪律都形同虚设，我认为直接原因就在这里。

在经济高速增长期，我们还保留了勤奋工作的精神。但后来欧美批评日本劳动过头，应该增加休闲时间。日本从官方到民间，连忙做出调整，缩短工作时间，增加节假休息日。

有一个时期，社会形成一种风气，把热情工作看成了罪恶。现在，勤奋的价值仍然低得可怜。欧美派的劳动观认为，休闲才能孕育精神的富裕。对此，我无意否定，但对西方这类价值观无批判地全盘接受，轻视劳动价值的做法，我认为是大错特错了。

同样，仅仅把工作当成获取生活食粮的物质手段也是错误的。前面我已经讲过，工作蕴含着磨炼心志、提升人格等精神方面的意义。过去的日本，或者说东方，曾经很重视劳动所伴随的精神价值——把劳动看作塑造人性的精进的道场。

第二次世界大战后统治日本的盟军最高统帅麦克阿瑟，围绕远东政策，在国会作证时，提到了日本人的劳动观。他说，日本所拥有的劳动力的质和量，无论在哪个方面都非常优秀，不亚于世界上任何国家。而且日本的劳动者认为，相对于玩乐，工作更能让人感受到幸福。就是说，麦克阿瑟认为，日本人找到了“劳动的尊严”。

过去，我们日本人曾经非常珍视劳动的意义和价值，懂得勤奋工作能够产生自豪感，带来精神的富足，甚至可以感受到整个人生的意义。

较之玩乐，劳动更能让人快乐——这种精神的感受；简单劳动也能钻研改进，体会其中的兴味——这种工作的技巧；不是被迫的、被动的工作，而是自己作为工作的行为主体发挥作用——这种劳动的智慧，我们日本人确确实实曾经拥有过。

过去拥有，现在却丧失殆尽。从前日本人的劳动观中所蕴含的珍贵意义，难道不值得我们重新审视吗？

人在工作中成长。为了提升心性、丰富心灵，需要全身心投入到工作之中。这样做，自己的人生就会更加美好，更加幸福。

第四章　以利他心度人生

托钵化缘中邂逅人心之美

1997年9月，我在京都的圆福寺出家，法号“大和”。原先预定6月剃度，但这时体检发现了胃癌，紧急动了手术。术后两个月，虽然身体还没有完全康复，但在9月7日，我就以置身俗世的方式，皈依了佛门。

从那时起到11月，我在寺庙进行了两个多月短期的修行。病后初愈，修行相当艰苦，但是，我却从中获得了毕生难忘的体验。

初冬的寒风中，我光头戴着斗笠，身披蓝色袈裟，赤脚穿上草鞋，挨家挨户在施主门口诵经，恳求施舍。从未经历过的托钵化缘，对我来说是痛苦的煎熬。伸出草鞋的脚趾，让柏油路摩擦渗出了血，忍着疼痛走了半天，身体就像用旧的抹布一样，破碎萎缩。

尽管如此，我还是跟比我早出家的修行僧一起，连续数小时坚持托钵化缘。黄昏时分，拖着疲惫的身躯，步履蹒跚地走回寺院的途中，路经一个公园，这时，一位正在打扫公园、身穿工作服的老妇人看见了我们，她一只手拿着扫把，跑着来到我的跟前，很自然地将500日元的硬币轻轻放进我的化缘袋中。

那一瞬间，一种未曾经验过的感动贯穿了我的全身，心中充满了难以名状的幸福感。

这位妇人看上去不会是生活富裕的人，给一个修行僧500日元的施舍，却不见她有任何的犹豫，而且没有一丝的傲气。这样一颗美好的、纯净的心，可以说是我有生65年来从未感受过的。这位妇人自然的慈悲行为，让我确凿地体味到了神佛的爱。

把自己的事情搁在一边，先去关心别人，这种热心肠的流露——那位妇人的行为虽然只是一件小事，却显示了人的思想行为中至善至美的一面。这种自然的德行，教我懂得了“利他之心”的真髓。

“利他”之心，在佛教就是“与人为善”的慈悲心，在基督教就是爱。再说得朴实一点，就是“为世人、为社会尽力”。在人生征途中，像我这样的经营者，还包括在经营企业的过程中，利他是不可或缺的关键词汇。

“利他”这个词，听起来似乎有点严肃，其实“利他”很平常，根本不是什么了不起的事。比如，想给小孩好吃的东西，想看到妻子开心的笑容，想让辛苦的父母生活舒适等等。任何行为，只要是出于对周围人的关爱之心，就已经是利他了。

为家人努力工作，帮助朋友，孝敬父母……这些朴实的、小小的利他行为，久而久之，就会扩展到为社会、为国家、为世界的大范围的利他。从这个意义上说，施舍500日元的这位妇人与特瑞莎修女之间，并没有本质上的差异。

人本来就具备为世人、为社会尽力的好心善意。据说最近就有许多年轻人，作为志愿者，自己带着盒饭，赴灾区做义工。听到这些事迹，我强烈地感觉到，利他是人们自然就具备的美好的愿望。

什么时候人的内心会充满深切、纯净、极致的幸福感呢？绝不是私利私欲获得满足的那一刻，而是利他行为开花结果的时刻。我想许多人会同意这个观点吧。而且贤明的人都会发现，为他人尽心尽力的行为，不只是对他人有利，最后福报回到自己身上，对自己同样有利。

天堂地狱之分由心态决定

已经是40多年以前的事了，当时京瓷还是中小企业，在欢迎新员工的典礼上，我对刚进公司的大学生们讲了如下一段话。

“你们从小到大一直受父母以及社会上许多人的帮助照顾。从现在开始步入社会，踏上工作岗位，应该轮到你们反过来回报社会了。如果还一味要别人关照，那不行。从受人帮助到帮助别人，立场需要180度大转弯。”

我讲这些话，是因为当时京瓷规模还不大，员工福利尚不完善。大学毕业的新员工常常抱怨：“起初把公司想得太好，而实际上福利待遇不健全，工资也不高。”

针对他们的牢骚，我训斥说：“不错，现在公司确实还小，设备不够，制度也不健全。我们要把企业做好，工资福利也要大大提高，但这必须靠你们自己辛勤劳动，不是靠别人帮助，必须用自己双手创造。”

我希望他们懂得，习惯于依赖别人，只想要别人照顾的人，往往缺乏知足意识，只会发泄不满。踏上社会，要转变角色，要为周围的人服务，要为团队、为企业作贡献，为此，人生观、世界观就必须作 180 度的转变。

当时我还不知道“利他”这个词，也不具备明确坚定的思想哲学，但我总是不断向年轻人强调，尽力为他人效劳这种心态是非常重要的。

先人后己，有时即使付出自我牺牲也要为对方尽力。为什么必须具备这种对他人的关爱之心呢，我剃度进入佛门时，一向关照我的一位圆福寺的长老给我讲了下面这个故事。

某寺院的年轻的修行僧问长老：“听说那个世界里

有地狱和天堂，地狱到底是个什么样的地方？”

长老答道：“确实不错，那个世界有地狱也有天堂。但两者的区别却没有人们想象的那么大。那地方从外观上看一模一样，唯有一点不同，就是住在那里的人的心。”

长老说，地狱和天堂都有一只相同的大锅，锅里一样煮着美味的面条，但要吃到面条不太容易，因为夹面条的筷子足足有一米长。

地狱里的人都只想自己先吃，争先恐后用筷子夹起面条，但因为筷子太长，夹起的面条送不进自己的嘴里。于是争抢对方夹住的面条，甚至打起架来。结果面条撒了一地，谁都没吃上。美味可口的面条就在眼前，却一个个都饿得头昏眼花。这就是地狱里的情景。

天堂里的情形正好相反，客观的条件相同，但结果完全不同。这里的人用自己的长筷夹起面条后送到对面人的嘴里。“请您先吃。”对面人吃到后说：“谢谢您，现在应该您吃了”，把面条送到这边人的嘴里。结果天堂的人都高兴地吃上了美味的面条，个个心满意足。

住在同一个世界里的人，因为有无关爱他人之心，而分出了地狱和天堂。这就是上述故事告诉我们的道理。

我常常通过这样的故事，向员工们强调“利他”的必要性。我再三再四强调，要经营好企业，我们内心一定要具备“为世人为社会”尽力的美好的意识。

利他本来就是经商的原点

在弱肉强食的商业世界里，我频繁地将“利他”、“爱”、“同情”等话语挂在嘴上，尽说些“好听的话”，于是就有人质疑，在这些甜言蜜语背后究竟隐藏着什么目的。但是，我压根儿没有利用花言巧语谋取私利的企图，我不过是把自己的信仰如实表达出来，并且自己坚持认真实践而已。

回顾历史就能明白，资本主义起源于基督教社会，特别是其中伦理严格的新教社会。初期资本主义的旗手都是虔诚的新教徒。根据马克斯·韦伯的观点，这些新教徒贯彻基督教的“爱周围的人”，遵循严格的伦理规范，尊重劳动，把通过产业活动获得的利润用于社会发展。

因此，他们以任何人看来都是光明正大的方法追求利润，而且，获取利润的最终目的，归根到底是贡献于社会。

换句话说，为世人为社会的利他精神——不是谋取私利，而是追求公益之心——成为初期资本主义的伦理规范。

对内，他们以严格的伦理约束自己；对外，他们贯彻利他的精神，把这两者看作自己理所当然的义务。这样做的结果，就促进了资本主义经济的快速发展。

日本江户时代中期的思想家石田梅岩也提出了相同的主张。当时日本的商业资本主义正处于勃兴期，而在历来的身份等级制度中，商人的地位最低，社会风气把商业行为看得很卑下。

这时梅岩提出："商人的利润等同武士的俸禄。"商人获利和武士食禄具有同样的正当性，绝不是什么可耻的行为。梅岩的观点激励了许多背后受人鄙视的商人。

但是，梅岩又说："求利有道。"追求利润绝不是罪恶，但其方法必须符合为人之道。不是为了赚钱就可以为所欲为，获取利润必须通过人间正道。他强调了商业行为中伦理道德的重要性。

“真正的商人应考虑人我双赢”——这是梅岩的话。意思是商人从商的极致就是让对方得利、自己也获利。就是说，这中间包含了“自利利他”的精髓。

利他拓展视野

求利之心是人开展事业和各种活动的原动力。因此，大家都想赚钱，这种“欲望”无可厚非。但这种欲望不可停留在单纯利己的范围之内，也要考虑别人，要把单纯的私欲提升到追求公益的“大欲”的层次上。这种利他的精神最终仍会惠及自己，扩大自己的利益。

其实，经营企业这种行为，已经包含了“为世人为社会”的利他的精神。

现在，终身雇佣制在逐步瓦解。但雇用员工意味着承担义务，就是照顾这位员工一辈子的生活。所以，五个人也好，十个人也好，只要雇用员工，就构成“为人”的行为。

不仅是经营企业，个人也是一样。当你独身时，会优先考虑自己一个人的生活，但一旦结婚成家，就要为夫人做事，为养育孩子负责。这时候，你个人的行为无意中就包含了利他的要素。

不过要注意的是，利己和利他总是一体两面、相辅相成的。就是说，小单位的利他，从更大单位的角度看，或许就变为利己。比如，为企业、为家庭，确实包含了利他之心，但是，不管怎样，“只要自己的公司赚钱就行”，“只要对自家有利就好”。如果你这么想，就已经变成了利己，你也就只能停留在这种较低的层级之上了。

为公司利益的行为，虽然包含了“利他”，但如果只为公司，从社会的角度看，这就是公司层次的利己。为家庭这种个人层次的利他，如果只为自己的家庭，从别的角度来看，就反映出家庭单位的利己——因此，为了超越这种低层次的利他，必须养成在更大视野内观察事物的眼光，从更大的视角、以相对的观点来审视自己的行为。

比如，经营企业不光是自己公司要赢利，也要考虑客户的利益，还要对消费者、股东、地区做出贡献。另外，与自己个人比，要更多地为家庭；与家庭比，要更多地为地区；与地区比，要更多地为社会，进而为国家、为世界、为地球、为宇宙做贡献，利他之心尽可能扩大，尽可能提升。

这样做，自然而然就能拓展自己的视野，就能看到周围各种各样的事物。据此就能做出客观的、正确的判断，就能避免失败。

参与新事业的动机每晚自问自答

利他这一项“德行”是击破困难、召唤成功的强大原动力，在参与通信事业时，我对此有深切的体会。

现在，有若干家企业参与市场竞争已是常态。但20世纪80年代中期之前，国营企业电电公社却在商业上垄断了整个通信领域，为了引进“健全的市场竞争原理”，降低比国外高得离谱的通信费用，日本政府决定实行通信自由化的方针。

将电电公社民营化、变为NTT的同时，允许新企业加入通信领域。然而，要与曾经独占通信事业的巨人NTT一决胜负，风险太大，没有一家企业敢于挺身而出。这样的话，名义上官办企业变民办，但公正的竞争仍然无从谈起，国民还是享受不到费用下降的好处。

“既然如此，就让我来试试吧”，这个想法在我心里抬头。我认为，以风险企业起家的京瓷最适合发动这样的挑战。

但是，与NTT竞争是蚂蚁与巨象之战，京瓷处于绝对劣势。而且行业不同，通信对我而言，是完全未知的领域。然而，一味袖手旁观，竞争原理无法启动，国民降低费用的要求只能止于画饼充饥。这种情况下，明知自己犹如堂吉诃德，我也要一试身手。

虽然有了这个念头，但我却并没有立即报名参与。因为我需要严格自问：在我的参与动机里有没有夹杂私心。为此，每晚临睡前，我都要自问自答：

“你参与通信事业，真的是为了国民的利益吗？没有夹杂为公司、为个人的私心吗？是不是想出风头、要引人注目呢？你的动机真的纯粹吗？没有一丝杂念吗？”

反复这样的自问自答，就是说，是不是“动机至善、私心了无”——一次又一次，我不断扪心自问，借以审视自己动机的真假善恶。

这样，经过整整半年，终于确信自己心中没有一丝一毫的杂念，我这才着手设立DDI（即现在的KDDI）。

新企业揭晓，还有其他两家参与竞争。舆论认为，三家企业中，以京瓷为母体的DDI条件最差。这也难怪，因为我们缺乏通信事业的经验和技术，通信光缆、天线等基础设施也必须从零开始构筑。同时，销售代理店的网络建设也得从零起步。

为社会为世人勇于自我牺牲

然而，在这也没有、那也缺乏的逆境之中，营业活动一开始，DDI 在三家新介入企业中，业绩一路领先。这是为什么呢？当时，直到现在，许多人都提出了这个问题。对此，我的答案只有一个，就是因为我们具备了为国民尽力的、毫无私心的动机。

DDI 创业时，我反复激励员工："为了国民，我们一定要把长途电话费降下去"；"人生只有一次，我们一定要把它变得更有意义"；"现在的机会是百年一遇，我们要心存感恩，好好把握这个机会"。

因此，不是为自己的利益，而是要为国民做贡献，这种纯粹的志向为 DDI 全体员工所共有，大家从内心渴望成功，拼命投入工作。这种精神感动了代理店和客户，获得了广泛的支持。

DDI 创建不久，我就给了一般员工按面额认购股权的机会。因为我看到，随着 DDI 不断成长发展，股票终将上市，到时就可用资本收益的方式回报员工们的努力，同时表达我对他们的感谢之意。

而同时，作为创业者，我本来可以获取最大的股份，但实际上我连一股也没有。因为在 DDI 创业之初，我就下定决心，不掺杂任何私心。

如果当时我持有哪怕一份股权，当有人质疑我归根到底还是为了自己赚钱时，我将难以反驳，这样，DDI 前进的轨迹也将会不同。

当我着手移动通信事业时（现在的 au），也有类似的经验。从 DDI 开业后，我就确信手机市场前途无量，手机的普及将给国民生活带来莫大的方便，所以决定参与这项事业，但是却碰到了一个很大的问题。

紧随 DDI 之后，还有一家公司报名参与。但因为频率的关系，除 NTT 之外，同一地区只允许一家公司营业。这样两家新入公司就要把全国的服务区域一分为二。

从效益角度考虑，大家都想争取人口稠密的首都圈，因此双方很难达成协议。为了公平，我提出抽签的方案。但遭到当时邮政省的批评。他们认为这么重大的事情，用抽签解决太不慎重。

但是，没完没了地僵持下去，不会有任何结果。如果双方都不肯让步，移动通信事业在日本就无法顺利开展——考虑到这一点，我将首都圈和中部圈这两个最大的市场让给对手，而把剩下的地区留给自己。

因为自己主动提出接受不利条件，在DDI的董事会上，大家都很吃惊，怎么豆沙饼的馅让给对方，自己只吃皮？但是，我用“损而后得”、“输而后赢”这样的话，好歹说服了大家，我说，只要大家共同努力，就能把这豆沙饼之皮变为黄金之皮。新事业就这样开始了。

但是，事业一旦展开，出人意料，我们的业绩快速攀升。众所周知，今天的au同NTT Docomo已成分庭抗礼之势。

DDI和au的成功，我认为，无非是“为世人为社会尽力”的愿望获得了上天的庇荫，证明了只要动机至善，事业就一定能够成功。

利润只是受委托临时保管，最终需贡献于社会

京瓷的经营理念是："在追求全体员工物质和精神两方面幸福的同时，为人类社会的进步发展做出贡献。"企业经营的目的，首先是保障员工的生活和幸福。但如果仅仅是这一个目的，那么就会陷入只为自己一个企业谋利的本位主义。企业是社会公器，还必须为社会、为世人承担责任和义务。

因此，在经营理念中加进了后面一句。这一句表达了经营理念从利己扩展到了利他。

创业后不久，我就意识到这一经营的大义。几年后，企业的基础已经稳固，我把年终奖金分发到每个员工的手里。然后我提议，大家能否拿出奖金的一部

分用于社会捐赠。全体员工都拿出一点钱，公司再拿出同额的资金，捐献给过年买不起年糕的穷人。

员工们都表示赞同，爽快地捐出部分奖金。这就是京瓷开展各项社会公益活动的开端。这一精神贯彻至今，从未改变。

就是说，京瓷创业后不久，全体员工就实践利他的精神，从自己汗水的结晶中拿出一部分，不分多寡，用来与他人分享，为社会出力。

“为世人为社会尽力，是作为人最高尚的行为。”出于这一信念，我个人在 1985 年创立了“京都奖”。从我所持的京瓷股票和现金中拨出 200 亿日元，设立了稻盛财团，遴选在尖端技术、基础科学和思想艺术领域做出优异成绩和卓越贡献的人，彰显其功绩。京都奖及其宗旨受到了广泛好评，现在已成为可与诺贝尔奖相媲美的国际性奖项。

京瓷迅猛发展，我的资产也水涨船高。但是这资产来自社会各方的支持和努力，我无权将它私有化。社会赐予的财富，或者说社会暂时委托我保管的财产，必须回馈社会，为社会服务——这是设立京都奖的初衷，京都奖是向社会报恩，同时，也是我利他哲学的具体实践。

这样的慈善事业受到好评，2003年我荣获卡耐基协会授予的“安德鲁·卡耐基博爱奖”。历届获奖者中，有比尔·盖茨、乔治·索罗斯、特德·塔纳等世界著名的慈善家。作为日本人，我第一个获此殊荣，在颁奖仪式的致辞中，我说：

“我只是一个拼命工作的人，创建了京瓷和KDDI两家企业，所幸的是，企业的发展超乎预想，我也获得了始料未及的巨大财产。安德鲁·卡耐基先生说：‘个人的财富应该用于社会公益。’对此，我高度认同。我自己也一贯持有同样的信念，上天赐予的财富应该用于为社会为世人服务，所以我积极从事各种社会公益和慈善活动。”

前文提到“求利有道”，我想还要讲“散财有道”。赚钱不易，用钱更难。以利他精神赚来的钱，也要用利他精神花出去。这样才能“正确散财”，为社会贡献出自己的微薄之力。

日本应将“富国有德”定为国策

对同一件事情，从善意的角度思考，还是从恶意的角度思考，自然而然，两者所导致的结果就会截然不同。

比如，与人争执时，总想驳倒对方，总认为错在对方，要逼迫对方认错。这是一种做法。但也可以体谅对方的难处，大家一起出谋划策，共同寻找解决问题的办法。处理同一个问题，结果可以大相径庭，差异就在于有没有体谅对方的关爱之心。

以前，日本市场对外封锁，围绕这一问题，日美两国争吵不休。当时，我提议，针对两国间的各种课题，成立“日美二十一世纪委员会”，让民间人士发挥作用，彼此坦诚交换意见，借此让日美关系有所改善。为此，我做出了努力。

我当时的提案是：彼此停止互相指责，摆脱敌意性的争吵。如果不考虑对方的具体情况和背景，光说对方不好，只求对方让步，那么本来可以谈拢的事情也会搞僵。只想占便宜，只想争面子，这样的对话必将无果而终，反而会加深相互间的不信任感。

所以，首先要尊重对方的立场，不是一味地固执己见，而要充分理解对方的想法，体谅对方的处境，以这种利他之心为基础，推进相互交流和谈判。

同时，如有必要，日本应该先行让步。为什么这么说，因为第二次世界大战后的日本，受到美国很多的恩惠——慷慨地提供粮食和技术，还向日本产品开放巨大的市场，等等——因此，才有日本二战后的快速复兴和经济的高速增长。

即便那是美国全球战略的一环，但他们对我们的极度宽容乃是事实。既然如此，今天由我们来表示诚意，体谅对方，该让步处就让步，培育宽容和利他之心。我想，这是已经成为“经济大国”的日本应尽的义务。

这个委员会，依据上述宗旨，进行了两年的讨论，向日美两国政府提交了建议书。

要设计今后日本的“国家形象”，关键就是利他精神，就是“以德为本”的治国方略。

过去，国际日本文化研究中心的川胜平太教授说过一句话：“富国有德。”

他提议，不是以财，而是以德立国。或者说，运用丰厚的财力，对他人、对他国以德相报。不是用武力，不是用经济力量，而是以德行来为他国行善，由此获得别人的信赖和尊敬。

我也认为，要把“德”字作为“国是”，定为国策。日本应该率先垂范，做“以德立国”的榜样，因为日本曾有为追求自己一国的私利而痛遭惩罚的历史教训。

今后日本应该追求的目标，既不是经济大国，也不是军事大国，而是一个以德为本的国家。既不是经济上精于算计的国家，也不是急于炫耀军事实力的国家，而是以“德”这一做人的崇高精神作为国家理念的基石，据此与世界各国接洽交往。

一旦成为这样的国家，国际社会就会真正的需要日本，尊敬日本。同时，对这种高品格的国家有侵略意图的人，恐怕不会有吧。从这个意义上讲，这又是最可靠的安全保障政策。

怎能忘记珍贵的美德

关于这一点，中国革命先行者孙中山，1924年在日本神户做过一次著名的讲演。在这次讲演中，孙中山把欧美文化与东亚文化做了比较，谈到了“王道和霸道”的话题。

用武力统治他人的文化，欧美有其源流，中国古语称之为“霸道”。与此相对，王道在东亚源远流长，王道就是以德行来引导民众。

孙中山力劝当时急于扩张军备、扩展领土的日本，不要选择“霸道”，而要选择“王道”。遗憾的是，日本走进了霸道，朝着第二次世界大战径直猛冲。而二战后直到现在，日本又采取了经济霸权主义的政策。

然而，从今以后，日本这个国家也好，民众也好，如果不将关爱和利他这种“德行”扎根于心，不采用以王道为基轴的国家方针，我非常忧虑，日本仍可能重蹈覆辙，犯下大错。

天台宗里有“忘我利他”的说法。顾名思义，就是忘却自我，为他人尽力。这是佛教的教义。从日文的发音听来，“忘我利他”同“已受惩戒”一模一样。曾担任天台宗住持的山田惠谛教导我们，这句话应该解读为：“片面追求物欲已受惩戒了，今后应将自己的私事搁在一边，为他人尽力了。”

我之所以强调“忘我利他”，是因为我强烈地感受到，关爱和利他这样的美德，在当下的日本社会几乎丧失殆尽。

一旦把关爱和利他之心丢光，剩下的就只有赤裸裸的利己的欲望。容忍乃至放任这种利己的欲望，结果必然招致可怕的社会混乱。

不久前，发生了一名 19 岁少年将一家四口残杀的惨案。因为罪行重大，他虽未成年，仍然被判处死刑。该少年自以为是，曲解法律，他自信只要未成年，犯什么罪都不会判死刑。

针对这一点，报道这一事件的杂志记者写道："如果该少年更了解法律的话，或许惨案就不会发生了。"但是，我认为，该少年更应该懂得的是法律之前的问题，就是"不可杀人"这个最基本的道德律、伦理观。"不可杀人""不可伤人"这样的问题，不是法律论，而属于道德论的范畴，是最起码的人生观。

以德为本的人格教育刻不容缓

为什么我们会失却最基本的道德规范呢？为什么我们会遗忘关爱之心、利他之心呢？答案很简单，因为大人没有教育孩子。第二次世界大战已过去六十多年，可以说，这一代日本人几乎没有受到任何道德教育。我受过战前教育，对这个问题深有体会。

过分强调尊重孩子的自主性，结果变成放任自流。只给自由，但与自由结对成双的义务，却几乎不教。做人最起码的道德，参与社会生活的最低限度的规则，我们都严重地忽略了。

自古以来，传授这种生活指南、人生哲学，依靠的是宗教。以佛教、基督教为代表的宗教教义，成为人们在生活中遵循的道德规范。

在背后干坏事也逃不过神佛的法眼，必将遭受报应；暗中行善神佛也不会忽视——这样的观念来自于信仰。这种信仰促使人们不能不思考：“作为人，应该怎么做才是正确的？”

但是，近代的日本，随着科学文明的发达，宗教遭到打击，连如何做人的道德、伦理、哲学也逐渐为人们所淡忘。

哲学家梅原猛先生说：“道德沦丧的根源在于宗教的缺失。”我完全赞成。特别是第二次世界大战后的日本社会，从战前以国家神道为核心的思想统治，走向另一个极端，就是在日常生活和教育中，把道德和伦理排除在外。

近来，社会在提倡“综合教育”，但以道德为中心的人格教育却依然不见动静。加上过分强调所谓“个性教育”，而做人最起码的规矩，最基本的道德，却无人问津。连幼儿园也在标榜“自由教育”，对身心尚未发育的幼儿的行为放任不管。这样的话，在他们长大成人之前，连学习如何做人的机会也没有。

在身心成长的少年期，必须让孩子们学习“作为人应该如何去生活”，给他们慢慢地、认真地思考这个问题的机会。

另外，学校还应该向学生灌输“正确的职业观”。

现在的日本已经形成了一个学历社会，只根据学习成绩的优劣将学生区别对待。成绩优秀者可以进入政府机关或者大企业，受到好评。而手脚灵巧，或善于待人接物，这些学业之外的特长都被置之脑后。这种做法，严重扭曲了年轻人的劳动观。

为了纠正这种倾向，从小学生开始，就要教育孩子，让他们懂得社会上有各种职业，每个领域内都有许多人在辛勤劳动，这才构成了整个社会，人们才能过正常的生活。这样，如果有孩子想当理发师，那么该上什么学校，该考什么证照，这类实用性知识也应传授，这就是职业教育。

前章中提到过神社的木匠师傅，但不限于木匠师傅，做家具的手艺人、裁缝师傅或者农民、渔夫，无论何种职业，只要认真工作，全力以赴，就能磨炼心志，提升人格。让学生懂得劳动的意义，教育他们树立正确的劳动观，这也是教育的重要使命。

别让历史重演，构筑新日本

日本从近代以来，以四十年左右为周期，迎来了一个又一个重大的历史转折。

① 1868 年——脱离了过去的封建社会，实行明治维新，建立近代国家，开始走上了富国强兵之路。

② 1905 年——打赢日俄战争，成为世界列强，国际地位飞跃提升。之后继续富国强兵，尤其向“强兵”的方向倾斜，向军事大国迈进。

③ 1945 年——第二次世界大战战败。在焦土中奋起，改弦易辙向“富国”方向转变，实现了奇迹般的经济增长。

④ 1985 年——日本巨大的贸易顺差开始刹车，缔结了诱使日元升值、促进进口的广场协议。这时的日本在达到经济大国的顶峰后，泡沫破灭，经济低迷持续至今。

审视每四十年一循环的盛衰起落，可以看得很清楚，日本这个国家一贯的方针，都在追求物质的富裕，与别国竞争。尤其在第二次世界大战以后，在“经济增长至上主义”的旗帜下，无论企业还是个人，都不遗余力地、无止境地追逐利益和财富。

现在，社会、经济持续停滞，要求从根本上转换观念的呼声日益高涨。即便如此，状况却仍然没有什么改观，人们为 GDP 百分之零点几的增减或喜或忧。我们许多人把经济增长几乎当作是唯一的“善”，争先恐后，希望增长再增长。

从本质上讲，这是一种霸道的哲学，就是把欲望当动力，依据优胜劣败的原理，让物质追求压倒一切，正是所谓“求利无道”。我们的国家也好，个人也好，至今没有从这种利欲的束缚中解脱出来。

然而到了今天，显而易见，这种单一的价值观，事实上已经难以为继。过去，我们只是从经济增长中寻求国家认同。但在今后，如果重复这样的思路，只能是再次盲目地跨进四十年一次的盛衰循环，而这一次衰败的程度甚至可能不亚于第二次世界大战的惨败。随入“下一个巨大谷底”的曲线已经开始呈现，减缓这种下滑的速度变得越来越困难。

国家和地方的财政赤字不断增加，行政和财政的改革停滞不前，少子高龄化的趋势使社会的活力下降等等，各种征兆已经凸显出来。如果还是袖手不管，到下一个四十年，即 2025 年前后，不仅未来的展望无从谈起，连国家本身都可能面临覆灭的危机。

问题已经迫在眉睫，现在就有必要建立新的国家理念，建立新的个人生活的指针，用以替代“经济增长至上主义”。同时，这还不仅仅是一个国家的经济问题，而且也是涉及整个国际社会和地球环境的极其重大且紧急的课题。为什么？因为人类基于贪得无厌的欲望，无止境地追求增长和消费，这种做法如不改变，不仅有限的地球资源、能源终将枯竭，而且整个地球环境也将被破坏殆尽。

换言之，再这样下去，不仅日本这个国家将归于破灭，而且我们人类将亲手把自己赖以生存的地球毁灭也未可知。不管有没有察觉到这个危机，在行将沉没的船舱中，我们照样追求奢华，醉生梦死——这种行为空虚而且危险，尽快意识到这个问题的严重性，建立新的哲学，描绘新的航图，已经刻不容缓。

从自然界学习“知足”

那么，这种新的哲学究竟是什么呢？用一句话概括，就是“知足”。知足就是今后的日本和日本人最基本的生存哲学。同时还包括伴随知足之心而来的“感谢”、“谦虚”、关爱他人的“利他”的思想和行为。

知足这种生存模式自然界里就有。食草动物吃某些植物，食肉动物又吃这食草动物，食肉动物的粪便和尸体返归土壤，变成肥料滋养植物。从广义的角度看，貌似弱肉强食的动植物界，实际上处于协调平衡的生物链之中。

与人类不同，动物自己不会去破坏这种自然的循环。假如食草动物贪得无厌把植物吃光，生物链断裂，不仅食草动物自己无法生存，生物链中的其他生物也将面临灭绝的危险。因此，它们从本能上懂得节制，没有超越自身需求的贪婪。

狮子饱腹以后不再捕捉猎物，这是本能，也是造物主赐予的“知足”的生存方式。正因为它们从本能上懂得知足，才能长期维持自然界的和谐与稳定。

人类也应该从自然界中学习“节制”。人类原本也是自然界的一员，也曾理解自然的法则，自己也处于生物链之中。后来，人类从食物链的制约中解放出来，单独摆脱了循环的法则，同时也失却了与其他生物共同生存的谦虚。

在自然界，只有人类才具有高度的“知性”，可以大量生产粮食和工业品，还能够不断开发新技术，来促进生产效率的提高。但是，人类因为具备“知性”而逐渐变得傲慢，企图支配自然的欲望不断膨胀。同时“知足”这道自我节制的防线消失。还想要更多、还想更加富裕，这种贪婪之心赤裸裸地凸显出来，终于威胁到自己赖以生存的地球环境。

人类一旦觉醒，“利他”的文明之花将会盛开

为了避免与地球这条船同归于尽，我们除了重新找回自然的“节度”之外，别无选择。不要再去追求超过自身需求的东西。必须把神灵赐予人类的“知性”变为真正的睿智，掌握控制自身欲望的法门。

就是说，要将“知足”这种生活方式付诸实践。对现在身边之物感觉不足，就会继续追求，那么到手后就会满足吗？绝非如此。

应该适可而止了，不要再去片面追求经济财富了。国家和个人的目标不是单纯物质的富足，看怎么做才能让大家获得精神的富足，我们应该朝这个方向摸索前进。

老子说："知足者富。"这就是"知足"的人生态度。还有一句格言："当你想要的东西无法到手时，就珍惜你手中已有的东西吧。""满足是贤者之宝"，知足带来人心的安定，这种思维方式和生活方式，我们必须去实践。

就是说，私欲的追求要适度，满足于略感不足的状态，剩余的就与人分享。或者给予他人，满足他人。要具备这种度量和慈爱之心。有人说，这种想法过于天真，过于牵强，脱离现实。但我却相信，这样的思维方式可以救日本，往大处说，可以拯救地球。

但请不要误解，知足的生活方式，绝不是指安于现状、不作任何新的尝试、停滞不前、有气无力、暮气沉沉的那样一种生活态度。

以经济发展为例，GDP 总额不变，可它的内容，即产业结构不断进步，淘汰老的产业，培育新的产业，新陈代谢，生机勃勃。也就是依靠人类的睿智，一个接一个地催生新的事物，充满活力和创造性。若对"知足"的生活方式进行描绘的话，大体就是这个样子。

这样的设想现阶段近乎是纸上谈兵，但如能实现，我们就能从成长走向成熟，由竞争转为共生，就能走出一条协调发展的道路。

到那时，以利他、以德为动机的新的文明或许就会诞生。就是说，构筑现代文明的动机是人的欲望——想吃得更好，想赚得更多，想过得更快乐。但到了新的时代，想让对方过得更好，想让他人更加幸福，以关怀和爱为基础的利他的文明，或许也将开花结果。

利他文明的具体形态和内容，我还不可能说得很充分、很清楚，这或许类似画饼充饥，白日做梦。

但是，我已多次讲过，比实现目标更重要的是，朝着要达成的目标不懈的努力，为实现目标而不断的磨炼心志。如果我们的心志提升了，那么，离知足利他社会的路程也就不远了。

第五章　与宇宙潮流协调和谐

主宰人生的两只看不见的手

根本而言，人生由看不见的手所主宰，这无形之手有两只。

一只叫命运。每个人来到世上，都带着各自固有的命运。命运的来龙去脉难以知晓，但是我们的人生却处在命运的引导或影响之中。有人对此持有异议，但我却认为，命运的存在乃是毋庸置疑的事实。

我们确实被某种超越自己意志和愿望的命运之神所支配，它把我们的喜怒哀乐抛在一边，犹如奔腾的江水，裹挟着我们，一刻不休，滔滔流入大海。

那么，我们在命运面前完全无能为力吗？那也不然。因为还有一只无形的大手在驾驭我们的人生，它叫“因果报应法则”。

就是说，善有善报，恶有恶报，善因生善果，恶因得恶果，因果规律，单纯明快。

我们身上发生的各种事情，都有其产生的原因。这原因不是别的，就是我们自己的思想和行为。你在想什么做什么，都成为因，而必生其果，你对所生结果如何应对，又成为因，又必有所果。这种因果规律不断循环，构成我们的人生。

在本书第一章中，我提出“心不唤物，物不至”。就是说，我们的人生，由我们内心不断的思索描绘所形成。这个结论也是基于因果报应法则。因为我们心中的思维、基于思维的行为，就是种子，它必然结出相应的果实。

在第三章中，我强调了磨炼心志、提高心性的重要性，原因也无非是这个因果法则。遵循这个法则，磨炼了心志、提高了心性，就能带来美好的人生。

命运和因果，这两项重大的原则支配了所有人的人生。命运是经纱，因果报应法则是纬纱，两者交织而成人生之布。

人生超脱命运的轨迹，那是因为因果法则这个力量在发挥作用；而另一方面，善行有时并不立即产生善果，那是因为命运的力量在干扰。

在这里，关键的是因果报应的法则要强于命运的法则。主宰我们人生的这两种力量之间也存在着力学上的关系，因果的力量多少要超过命运的力量。正因为如此，我们运用因果报应的法则，甚至可以扭转我们与生俱来的命运。

所以，想好事、做好事，就可以改变命运的走向，使命运向好的方面转变。我们人在受命运支配的同时，又可以因思善行善而改变自己的命运。

懂得因果报应法则，就能改变命运

命运不是宿命，可以运用因果报应法则加以改变——这不是我随便想象的，而是安冈正笃先生阅读中国古典《阴骘录》时学到的道理。安冈先生是一位对许多政界和经济界人士都有很大影响的思想家。《阴骘录》是明代的一部著作，其中介绍了袁了凡这个人物的故事。

袁了凡出身医生世家，幼年丧父，由母亲抚育，为继承家业少年了凡正在学习医术。某日有一老人突然来访。老人对了凡说，我是研究理法（易经）的，现奉天命，特来向你传授易学真髓。老人还对了凡母亲说道："母亲或许期望这孩子将来也当医生，但他不会走这条路。他长大后会接受科举考试，会当上官员。"老人就了凡少年的命运作了种种预测：不仅在几岁时参加什么考试，在多少人中排第几名，而且说了凡很有出息，年纪轻轻就会当上地方长官；结婚却无子，53 岁时亡故等等。

后来了凡的人生果然如老人所言。了凡当了地方长官后，有一次去拜访一家禅寺，与那里的一位有名的禅师一起打坐。那位禅师看到了凡打坐时神清气闲、无思无念，非常佩服，问道："你坐禅时毫无杂念，很了不起。敢问你曾在何处修行？"了凡回答自己并无修行的经验，并说起了少年时代遇到那位老人的事情。

"我走过的人生一如老人所言。到了 53 岁我就将死去，这就是我的命运了。所以我现在已经没有任何烦恼。"

不料，那禅师听罢怒喝道："本以为你是一个人物，这么年轻已经达到了参悟的境界。想不到你竟是一个笨蛋。难道顺从命运就是你的人生？命运虽属天赐，但绝不是不可改变的，它可由人力来改变。只要思善行善，你今后的人生就能超越命运，向更美好的方向转变。”

禅师解释了因果报应法则，了凡听得非常认真。此后了凡一心积善，不做坏事。结果据说不可能出生的孩子降生了，寿命也大大超过了老人预言的 53 岁，最后寿终正寝。

就这样，由上苍决定的命运也可以用自己的力量加以改变。只要坚持思善行善，因果报应法则就会发挥它的作用，我们就能超越命运，度过更美好的人生。安冈先生说这就叫作“立命”。

但是在现实生活中，相信这一法则的人并不多。多数人认为它不符合科学而付之一笑。对照近代的所谓理性，命运之说归于迷信一类。而因果报应，就像骗小孩说“做坏事会遭报应的”被看作一种低级的道德教育的手段。而凭今天的科学水平，还无法证明因果报应这只无形之手的存在。

如果一做好事立即就有好的结果出现，人们或许很快会相信因果法则的灵验。但原因马上连着结果，今天做好事，明天就见好结果，这样的情形很难出现。

另外，因果关系很少以一目了然的形态出现，不像一加一等于二那么简单明了，也不是B这个结果，一定由A这个原因决定。为什么呢？前面已经分析了，因为我们的人生是由命运和因果报应两条法则互相交织而成的。

这两者互相干涉，比如当命运非常恶劣时，做一点好事，并不会出现好的结果，因为仅有的一点善行为强势的厄运所淹没。同样，当好运非常旺盛时，稍稍做点坏事，也不会马上出现恶因招恶果的情形——这样的事情经常发生。

不必担心结果，因为因果必报

看不清因果报应这条法则，不肯轻易相信它，这是因为你只从一个短的时段来观察事物。某种思想和行为要作为结果呈现出来，需要相应的时间。在两年、三年这样较短的时段内，结果往往还出不来。

但是从 20 年、30 年这样的长时段看，因果的吻合度非常之高。自我开始创业以来已有 40 多年，这期间，我见识了各种人物的兴衰起落。从 30 年、40 年这样的时段观察，几乎所有的人都得到了与他们平日的行为和人生态度相一致的结果。

从长远看，诚实的人，坚持行善积德的人不会总是倒霉；而懒散的人，不负责任的人也不会一直荣耀。

确实，有人干了坏事却未见恶报，因为他运势尚佳或侥幸逃逸；有人做了好事却未见善报，因为他一时时运不济。但随着时间的推移，状况逐步修正，结果“种瓜得瓜，种豆得豆”，大家各得其所，进入他们应有的境遇。

原因和结果之间，简直可用等号连接，原因和结果吻合的程度之高甚至可以用“可怕”两个字来形容。短期来说或许不尽然，从长期看，善因结善果，恶因招恶果，因果报应准确无误。

京瓷在几年前，为救助陷于经营困境的复印机厂商“三田工业”，设立了“京瓷美达”，着手公司的重建工作。后来该企业业绩显著改善，巨额债务的偿还时间比原计划大大缩短，现在该企业已经成为京瓷集团重要支柱之一。

在重建过程中，一位担任过京瓷信息机器部本部长的人物起了关键作用。他担任“京瓷美达”的社长，负责重建工作。而在很久以前，他当过一家新兴通信设备企业的车间主任。

那家企业当时因行业景气、产品热销而迅猛发展，但潮流一退，业绩一落千丈。接受该企业的请求，京瓷伸出援手，将该企业纳入京瓷集团。这已是20多年以前的事了。

企业更新重建本来就是件辛苦的事，加上员工中有一部分过激派的工会成员，他们提出了各种非分的要求，甚至闯进我的私宅，诽谤中伤，让我很不愉快，京瓷也受到了伤害。

本意是救助陷于绝境的企业及其员工，反倒要遭受这种煎熬，我只好拼命忍耐。但过了不久，多数员工终于理解了我的好意，开始感谢京瓷和我的帮助及救援。

其中有一个人，就是刚才提到的“京瓷美达”的首任社长，他曾是被救助的对象，这次站到了救助他人的一方。此人感触良深：

“一个被救助的人，现在成了救助别人的人，我感悟到一种命运的轮回。当初受到的恩惠，如今通过重建‘京瓷美达’的机会，得以回报，我感到由衷的喜悦。”

听到这话，我深有感慨。从长期看，因果确实在循环，善行不会以恶果告终。虽然一时遭到误解，日子不好过，但企业再建成功，最终受到员工的感谢。我深信，善的循环之轮还将继续扩展。

“为善不见其益，如草里冬瓜自暗应长。”中国明代的《菜根谭》中有这样的句子。意思是，行善没有见到报答，好比草丛里的冬瓜，即使人眼看不到，它照样茁壮成长。

因果必报，但需要时间。记住这句话，不要因为一时不见效果而焦躁，重要的是平日里不弛不倦，行善积德，坚持不懈。

宇宙的意志促进森罗万象生生不息

因果法则之所以成立，是因为它符合大自然最根本的法则。从长期看，善因招来恶果，恶因导致善果，这种错乱的事情不会发生。善因善果、恶因恶果，一切都将顺理成章，因为这就是天理，就是天意。

这一观点，思考宇宙形成的过程也能明白。极高温、极高压的基本粒子的聚合体，在130亿年前发生大爆炸而开创了宇宙，直到现在它还在不断地膨胀——这就是所谓"大爆炸理论"，在现代宇宙物理学中几乎已是定论。

整个宇宙本身犹如一个巨大的生命体，它不停地、无止境地成长（膨胀），它的成长轨迹大体如下：

物质由原子组成，原子核又由质子、中子、介子构成。如果将质子或中子击破，就会释放出基本粒子。彻底追溯物质的本真，最后将回归到基本粒子。

就是说，宇宙的诞生，首先是大爆炸使基本粒子互相结合，由此产生质子、中子、介子，由它们组成原子核，再加上电子成为原子。然后，经过核聚变形成各种原子。原子与原子组合成分子，分子再互相结合形成高分子，高分子取得DNA遗传基因后诞生了生命。

此后，这些原始生命经过亿万年持续的进化，终于孕育出像人类这样的高等动物——也可以说，宇宙的历史，是由基本粒子向高等生命体不断进化发展、生机勃勃的过程。

那么，为什么会发生这样的进化过程呢？原初存在的基本粒子，保持它原本基本粒子的状态不也可以吗？或者它也可以选择到了原子阶段就停止发展。然而，它一刻不休地、持续不断地生成发展，以至进化成人类这样的高等动物，其中的原因到底是什么？

那纯粹是偶然的叠加，这是一种看法。但是，这么千辛万苦的生长进化过程，单单是出于偶然，完全是一种无目的的行为，这种看法未免不合逻辑。与其这么说，我想，不如把它视作基于天意的必然的过程，这才合乎道理。

换种说法，宇宙间存在着促使万物生生不息、绵绵不断生长发展的意志和力量，或者可称之为“气”“能量”。而且，它“性本善”，它把人和一切生物、无生物都朝“善的方向”牵引。

做好事就会有好报，这样的因果法则之所以成立；基本粒子不甘愿停顿，而是结合成原子、分子、高分子，并仍在继续进化——原因无非是宇宙的意志和力量在引导和推动。

森罗万象所有事物都要生长发展，一切生物都要朝善的方向前进——这就是宇宙的意志。换句话说，宇宙间充满了这样的“爱”和“慈悲之心”。

因此，遵循这莫大的意志（爱），采取与之协调的思维方式和生活方式，就比什么都重要。思善行善本身，就是顺应和满足宇宙向善的意志，从这里产生好的结果，孕育出了不起的成果，那是理所当然。

也就是说，前面谈到的感谢、诚实、勤奋工作、率直之心、天天反省、不憎恨、不妒忌、先人后己的利他精神……这些善念与善行都是顺应宇宙意志的行为。所以，必然会引导人走向成功，让人的命运变得丰富多彩。与宇宙的意志和趋向是否“同调”，这决定了人生和事业的成败。

原理就这么简单。宇宙本身具备让万物向善的意志，促使宇宙间一切事物成长发展。因此，宇宙间森罗万象都成长发展乃是必然，我们人类自然不会例外。

所以，只要秉持与宇宙意志相同的思维方式和生活方式，工作就一定会顺畅，人生就一定能幸福。

“伟大之物”向一切事物注入生命

生命不是偶然因素的叠加，而是宇宙意志必然的产物。这一观点并不新鲜。前文提到的筑波大学名誉教授村上和雄先生用“Something Great”即某种“伟大之物”，来表达造物主的存在。

村上先生是全世界著名的遗传基因研究的权威。他说，从事遗传基因的研究，让你不能不这样想：“这个宇宙中，有超越人类智慧的、不可思议的意志在发挥着作用。”

无论是人、动物、植物，甚至霉菌、大肠杆菌等原始生物，其遗传基因，全都使用由相同的四个文字组成的“密码”来记录遗传信息。令人惊叹的是，人这样的高等动物，其基因居然也是由这区区四个文字记录的信息所组成。

人类的一个细胞中，写入了多达30亿个遗传基因的信息。这信息量换算成书的话，相当于1000本、每本厚达1000页的书。具备如此庞大信息量的基因，就记录在构成人体的60亿个细胞的每一个之中。

更令人惊奇的是，记录这些基因信息的DNA却是那么的微小。把地球上60亿人的DNA全部集合在一起，其重量仅仅相当于一颗米粒。

如此微小的空间中，居然记录了如此骇人的庞大信息，而且井然有序，纹丝不乱。而地球上一切生物，都因相同的四个文字组成的基因密码而生存。

想到这些，只能说是奇迹了。把这说成是由于某种偶然而碰巧产生的结果，未免牵强附会。一定存在着远远超越人类想象的、主宰整个宇宙的某种“伟大之物”——如果我们不作这样的假设，事情就无法解释——村上先生把这种存在起名为“Something Great”。

我们不知道“Something Great”究竟是什么，只能说它是创造宇宙和生命的伟大的存在。有人称之为神，我说那是宇宙的潮流或宇宙的意志。不管怎么说，它或许是人类有限的能力所“不可知的”。

然而，这“伟大之物”的存在，应该予以肯定。如果否定它，那么宇宙的生成发展，生命的奥秘，生命的精致的结构，就统统无法解释。

我们人类，不过是从“伟大的存在”那里借来了生命的力量，并加以使用而已。宇宙造物主创造的生命能量无所不在，不断向万物注入“生命”。那也是让万物“生机勃勃”的爱和力的体现。

来举一个例子。30多年前，京瓷的再结晶宝石首次合成成功，这时候我就感觉到了上述的“宇宙意志”的存在。这种人工宝石的成分结构与天然宝石完全相同。比如制造祖母绿宝石，就使用与祖母绿成分相同的金属氧化物，将它从高温慢慢冷却，用这样的方法来制造。

把熔融的、颜色鲜红的金属氧化物逐渐冷却，在这个过程中放进小块天然结晶物作为种子，像培育它长大一样，让它再结晶。这颗种子何时投入，极为微妙而且非常困难，过早投入，因为高温，晶体会熔化，投入过迟，晶体就难以长大。

经过七年的反复试验摸索，再结晶技术大功告成。在分毫不差的、精确的时刻，投入小小的天然宝石晶体，然后注视它“越长越大”的样子，宛如看到了生命成长的过程。这就让我感觉到，是某种神秘的力量在促使这种现象发生。

这个例子使我产生一种感觉：在宇宙间存在着某种沉静而强韧的意识、思想、爱、力、能量——肉眼虽然看不到它，但它客观存在着。是它让物质看起来就像一个生命体，是它让万物“生机盎然”。

它遍布在无限的空间，是一切生命力的源泉，它主宰万物的诞生、成长、消亡，它是一切事物、一切现象的母体，也是动力。

宇宙的意志，“Something Great”、造物主的看不见的手，怎么称呼都可以。这是用科学之尺无法测量的、不可知的力量和智慧，但相信它的存在，对我们的日常生活有益无害。这是我的观点，因为相信这个“存在”，不仅能决定我们人生的成败，而且可以消除人的傲慢之恶，带来谦虚之德和善。

我为什么皈依佛门

那么，宇宙的意志、造物主究竟抱着怎样的期望让我们降生于世、授予我们不可重复的人生，并让我们自然地成长发展呢？换句话说，我们应该如何生存才能顺应这个巨大的期望呢？这虽然是一个超越人类智慧的莫大的疑问，然而我认为，除了“提升心性”之外，再无别的答案。

前文多次讲述，要带着一颗比降生时稍稍善良、稍稍美丽的心灵离开人世，从生至死都要尽力去思善行善，陶冶人格，使人生终点时灵魂的品格比起点时有所提升。宇宙和自然之所以授予我们生命，就出于这一目的，如此而已。

在这个巨大的目的面前，我们个人在世时积累的财产、名誉、地位就显得微不足道。事业成功，飞黄腾达，富可敌国，所有这一切，与“提升心性”相比，犹如尘埃，不足挂齿。

宇宙意志为人类生命所设定的最终目标，就是磨炼心志这一条。宇宙赋予我们的这个人生，不过是修炼我们灵魂的道场。

磨炼心志、提升心性，要点在于日常生活中的“精进”。我在前文中已屡次三番强调。释迦归纳的修行法则“六波罗蜜”——布施、持戒、精进、忍辱、禅定、智慧这六项，我们只要牢记并每天实践，我们的心性、我们的灵魂就能够向上提升。

上述道理，虽然朦胧，我却有切身的感受。我遵循这道理一路走来。刚才提到，迎来65岁的时候，为了重新理解人生的意义，为了获得真正的信仰，我决心皈依佛门。

多年前我就打算，60岁时退出经营第一线转入佛门。但临近花甲之年，手机事业方兴未艾，身不由己，我无法抽身。直到65岁，再也不能拖延了，我决心退居二线，仅担任京瓷和 DDI 的名誉会长，剃度进入佛门。

我原本就把自己的人生分为三个阶段。如果寿命为 80 岁，第一个阶段 20 年，是从诞生起，到独立迈步人生这个时期。第二个阶段从 20 岁到 60 岁的 40 年，是悉心钻研、奋发努力、为世人为社会做贡献的时期。

第三个阶段，从 60 岁开始的 20 年，应该是为死亡（灵魂新的旅程）做准备的时期。如同从出生到踏入社会要花 20 年的准备时期一样，我认为迎接死亡也需要 20 年的准备时期。

人死后肉体消亡，但灵魂永存不灭。我有此信仰，在我看来，现世的死亡，归根到底，无非是意味着灵魂开始新的征程。所以，对于这新的旅行应该做好周到的准备。我决定出家，就是为了再次学习人生的意义，为死亡做好准备。

不完美不要紧，贵在持续“精进”

出家以及随后的修行，对我而言果然是一种严肃的、新鲜的体验。从托钵化缘等修行中，我更深刻地体会到佛陀的慈悲。出家后，我发现了过去未见过的新的世界，而有的观念，比如人生必须努力，同过去比没有变化，但出家后我更确认了这一点。

有禅语说：“悟道前，伐木、担水；悟道后，伐木、担水。”进入佛门后，我依然在俗世的风尘中劳作奔波，但我感觉到，在我的内心深处确实发生了某些变化。

比如，通过修行，我重新痛感到自己尚有不成熟的一面。过去，我作为企业的领导者指导下属，训示部下时似乎自己很了不起。把自以为十分明白的道理，写进书里或去演讲。修行让我省悟到，在我内心还潜藏着马虎随意、令人厌恶的东西。

另外，有一点令我印象深刻，就是真正了不起的人往往隐于市井。我说的这种人具备美好的心灵，他们或者是街头巷尾心地善良的老妇人，或者是正在都市的一角朝着目标奋进的年轻人。

我再次感觉到，比起某些有名誉、有财产、所谓功成名遂的人，这些默默无闻的人更为高尚，因为他们富于同情人，能够无私地关爱他人。

我还有一种感觉，就是我们凡夫俗子不管如何努力修行，要真正参悟恐怕是不可能的，普通的人要达到开悟的境界归根到底是不可能的。

在出家仪式上，导师问我能否遵守十项戒律。我回答我一定好好遵守，这才获得进入佛门的许可。尽管我慎重地发誓持戒，并已经成为一名僧人，但我想，要完全遵守这些戒律恐怕自己还是做不到。

再怎么努力持戒，勇于精进，花几百个小时去坐禅，最后仍不能踏入悟境。像我这样意志薄弱、无法完全摆脱烦恼的人，为磨炼心志，无论做多少好事，还是做不到完全消除私欲、时刻以利他之心行事的境界。无论怎样努力持戒也难免破戒。包括我自己在内，人往往就是这么愚蠢、脆弱、不完美。

但是，我认为就是这样也不要紧。朝着参悟的境界努力，最终达不到那样的境界。但坚持朝那个方向努力，决不半途而废，这种精神本身就非常可贵。

即使没能完全守戒，但要有努力去遵守的愿望，非遵守不可的想法，没能遵守时真挚的反省、自责，这些才是非常重要的。抱着这种心态度过每一天，那么，就算到不了悟境，也能很好地磨炼心志，得到救赎。通过出家、修行，我对这一点产生了信念。

神佛或宇宙的意志，并不是要爱已经成就了某种事业的人，而是爱努力想要去达成某种事业的人。想要达成却没能达到，反省自己的不足，从明天开始依然坚忍不拔，朝想达成的目标继续努力。这样的人才能获得拯救。

想要遵守戒律，想要实现目标，只要朝这方向不懈努力，就能磨炼心志吗？

“Yes”。

这样做我们就能获得救赎吗?

这答案也是“Yes”。

就是说，想要提升心志的愿望以及付诸实行的过程，这才是真正可贵的，这就能够磨炼我们的心志。因为这顺应佛陀的慈悲，符合宇宙的意志。

心中存在真理的“内核”

我考虑，人的心灵呈现多重结构，由多个同心圆组成。从外侧开始依次是：

①知性——后天掌握的知识、道理、逻辑。

②感性——主宰五感及感情等精神活动的心。

③本能——维持肉体需要的欲望等。

④灵魂——裹在真我外层的、现世的经验与业障。

⑤真我——位于心灵中心的内核，充满真、善、美。

我们心灵的中央部位存在“真我”，其外围环绕着“灵魂”，而“灵魂”外侧覆盖着“本能”。人以这样的“心态”降临人世。比如，刚出生的婴儿，肚子饿了就要吸吮母乳，这是位于心灵最外层的本能形成的“业”。

然后伴随人的成长，在“本能”外侧形成了“感性”，又在“感性”外侧形成了“知性”。就是说，人在出生、成长过程中，心灵会从中央向外拓展，形成多层结构。相反，随着年龄逐渐衰老，由外向内一层层“剥落”。

比如，老年痴呆的发展，首先是知识、道理、逻辑推理等“知性”的功能开始衰退，老人变得像孩子一样感情外露。接着感情、感性逐步迟钝，本能凸显。再后来本能（生命力）也弱化，慢慢进入死亡。

这里的关键是，位于心灵中央部位的“真我”以及“灵魂”，这两者区别何在？所谓真我，瑜伽认为，正如字面之意，是形成心灵核心的“芯”，是“真的意识”。佛教称之为“智慧”。一旦到达此种开悟的境界，就能通晓贯穿于宇宙的一切真理，也可以说那是神佛思想的投影，是宇宙意志的体现。

佛教认为“山川草木悉皆成佛”，意思是万物中都宿有佛性。真我就是佛性本身，就是宇宙的睿智本身，就是万物的真理，一切事物的本质。这样的真我存在于我们心灵的正中央。

真我就是佛性，因而它完美至极，它充满着爱、诚以及协调和谐，它兼备真、善、美。人类为什么向往并不懈地追求真、善、美呢？因为人的心灵的中央存在真我，真我具备真、善、美。正因为我们心中本来就潜藏着真我，我们才会苦苦追寻，锲而不舍。

灾难消“业”该庆贺

然而，如此美好的真我却被“灵魂”紧紧包裹。如果真我相当于一丝不挂的裸身，那么灵魂就是穿在身上的衣裳。这衣裳里蓄积了这个灵魂往世经历过的一切思想、行为、意识、体验，同时这衣裳里还添加了今世自己的各种所思所为。

所谓“灵魂”，它收纳了人在多次转世投胎过程中累积的所有“业障”，一切善念恶念，善行恶行统统囊括其中。这样的灵魂包围着位于心灵中央的真我。因此，虽然真我是万人共通，灵魂却因人而异。

记得小时候母亲曾说我“你的灵魂不好”。鹿儿岛人对脾气不好、性格执拗的人常这么形容。这说明我虽还年幼，但在我的灵魂里已掺杂了某些不好的“业”，这种“业”扭曲和玷污了我心灵的一部分。母亲看出了这一点。

那么，像污垢一样紧紧依附在灵魂上的所谓“业”，究竟是什么东西呢？有关这一点，我出家时关照我的西片担雪老师（西片老师现为临济宗妙心寺派的掌门人）的谆谆教诲，给我留下了深刻的印象。

那已经是将近20年以前的事了。京瓷未经认证许可，就生产、销售了用精密陶瓷制造的人工膝关节，当时受到了来自媒体的大肆批判。

这之前，用精密陶瓷制造的股关节已获认证并投入了生产，因为医生和患者的迫切要求，才将这种技术应用于膝关节。有这个原委，加上我又不是故意违规，原本可以为自己辩解，但我并没有这么做，而是甘愿接受舆论的责难。

我去拜访担雪老师，告诉他：“最近碰到这样的事，心里不胜其烦。”老师通过报纸好像也知道了这件事。我想他一定会出言安慰我。不料，老师一开口就说道：

“是很够呛，但也没办法，只要活着，辛苦委屈乃是必然。”

接下来，他又说了下面一段话：

“灾难来临，不可消沉，要高兴才对。灾难能把长期以来依附在灵魂上的业障消除。这种程度的灾难就能消除业障，稻盛君，该庆贺才好啊！”

就是这一句话救了我。社会的批评，也可以看作“上苍给予我的考验”，我应该坦然接受。老师的开解是最高的教诲，胜于任何安慰我的话语。我从中学到了人活着的意义，以及其中蕴藏着的伟大真理。

与其追求开悟，不如运用理性和良心去磨砺心志

谈到灵魂，许多人会表示抵触。但是，我们常常听到的或者我们体验到的一些个案，如果否定灵魂的存在就无法解释。

所谓“濒死体验”就是其中之一。因疾病或事故“死过”一次的人，会感到自己从身体中飘浮出来，从上面看到自己躺在床上接受治疗的情形，或者会窥见不可思议的世界。经历过这种体验之后，再度苏醒，起死回生，我的朋友中就有经历过“濒死体验”的人。

这位朋友半夜里心脏病发作被送进医院，心脏一度停止跳动，在医生们的奋力抢救之下又活了过来。

在这一段时间里，他说他在某个鲜花盛开的草原上散步，不知为什么，我从对面走过来，问道：“你在干什么？”就在这一瞬间，突然有了意识，在床上苏醒过来。

听身边的人讲这样的体验，不禁让我再次感觉到，肉体和灵魂是两回事。因为他告诉我，他在死亡的边缘看到的景色是一个真实的世界。肉体死了，但自己却来到某处的“另一个世界”，甚至清楚地记得那里的景色。对此，我的理解是：在与肉体不同的某个地方存在着灵魂。

依据佛教轮回转生的思想，我们在降临人世时，灵魂带着到前世为止所积累的“污垢”，也就是业障而来。在这之上，当我们死的时候，灵魂再载上今世所造的业障而去。

而且，在灵魂的内侧，隐藏着真我——纯净的、美好的、伴有佛性的、永世不灭之心。如果真我原形显露，那么人就会以美好的心灵思善行善，就会像佛祖一样慈悲。但是，人成不了佛，那是因为在真我的周围覆盖着带有业障的灵魂，再向外还有一层充满欲望的本能……如此层层的障碍阻挡了真我的展现。

坐禅和瑜伽等修行，目的也是磨炼心志，就是从心的外侧向着内侧，像研磨镜片一样，一层一层磨掉位于真我外侧的障碍。

首先磨去最外层的知性到达感性，感性磨去之后到达本能，再磨掉本能……直到最后真我完全展露，这种从外向内彻底的心灵磨炼即为修行。所谓开悟，就是指磨炼心志到达真我的状态。

通过修行到达真我的话，我们就能理解一切真理，得到佛的智慧。达到这种境界的人，就不再会被本能和感性所迷惑，就能够把“为世人为社会尽力”作为自己的人生态度。

然而，前面已经讲过，普通的人最后也到不了开悟的境地，凡人磨炼心志要达到真我的程度几乎是不可能的。

那么，应该怎样做才好呢？我认为运用理性和良心来抑制感性和本能，去控制它们，这种努力非常重要。

遵循发自真我及灵魂的理性与良心，把正确的伦理观、道德观注入心中，也就是遵照“为世人为社会尽力”的思维方式，把“知足”的生存方式铭刻于心，放弃无止境追求欲望的贪婪之念。

这样不断地用理性和良心来制约感性和本能，一步步度过自己的人生，积累“为善的经验”，就能磨炼心志，自然而然地向悟道的境界靠拢。通过这样的修行变得高尚的灵魂，不仅在现世能发挥作用，而且会延续到来世。

凡是存在都有价值

人的本质是什么？我们为何来到这个世界？这样的问题，只要我们一息尚存，就是我们永恒探究的课题。井筒俊彦先生是伊斯兰哲学和东方哲学的大家，围绕人的本质是什么这一问题，他讲了下面一段意味深长的话：

当通过冥想去解明人类本质的时候，会慢慢地接近一种精妙的、纯粹的、感觉无限透明的意识，这时自我存在的意识非常清晰，但除此之外的五感却完全消失，最后到达只能称之为“存在”的意识状态。与此同时，就能意识到森罗万象一切事物，都由这种所谓“存在”所构成。正是这种意识状态才揭示了人类的本质。

接受井筒先生这一观点，文化厅长官同时也是心理学家的河合隼雄先生，通过与花儿的对话，幽默地比喻道：“你这个存在，现在正扮演着花朵吧，而我这个存在正扮演着河合隼雄呢。”平时看到花儿时，我们会说：“这里有花”，就是这里存在着花。而按照上述的逻辑，可以说成“存在正扮演着花的角色”。

就是说，把构成生物属性的东西——肉体和精神、意识和知觉——全部除去之后，就出现“只能以‘存在’命名的东西”。以这种“存在”为核心，形成我们人和其他各种生命。而且这个“存在”是所有生命所共有的，有的时候，“存在”以花的形式出现，另一种场合“存在”又扮演人的角色。

因此，我也不例外。稻盛和夫这个人并不是原来就存在的，只不过是某种“存在”偶然借用了我的形骸罢了。创立京瓷和KDDI这样的企业，并没有非我不可的必然，我不过是扮演了上苍偶尔赋予我的角色而已。

所有的人都由上苍赋予了任务，都在出演各自的角色。从这个意义上讲，每个人的“存在”都有同样的分量。在前文中已经阐明，万事万物，不仅是人类，包括生物，一草一木，甚至路边的石块，都有造物主赋予的作用，都是基于宇宙的意志而存在。

实际上，宇宙存在着“能量守恒定律”。构成宇宙的能量，形态可以改变，其总量却是恒定不变的。比如，把树木砍下用作柴薪燃烧，原来以树的形态存在的能量，转换成热能，变成了气体的能量，但能量的总和保持不变。

既然如此，即使一个小小的石块，它也是构成宇宙不可或缺的存在，再怎么渺小的东西，如果缺了它，宇宙就不成其为宇宙。

踏着人生的正道，走向光明的未来

所以，宇宙间森罗万象、一切事物，都是浩瀚宇宙生命的一部分，绝不是各自偶然的产物，不管哪一个个体都因宇宙需要而存在。

其中，我认为人类肩负着更大的使命。人类具备知性和理性，带着满怀爱和同情的心以及灵魂降生于地球——正因为“人为万物之灵”，所以上苍赋予了人类极为重大的任务。

因此，我们有义务了解这个任务，认识自己的使命，尽一生的努力去磨炼灵魂。为了让灵魂比降生时更为美好，我们必须精进再精进。人为什么活着？我认为答案也在这里。

勤奋工作，满怀感谢之心，思善行善，真挚地反省，严格地自律，在日常生活中不懈地磨炼心志、提升人格。换句话说，全力以赴去做好上述理所当然的事情，这就是人活着的意义之所在。我认为，除此之外，人生再无别的意义。

社会的混迷还在加深，现在人类的生活好比在漆黑的夜里摸索着前行。尽管如此，我们仍然怀抱梦想和希望，描绘光明的未来。人人都拥有充实的人生，人人都过上幸福的生活——我从内心祈求这个美好社会的到来，同时我相信这个愿望一定能够实现。

因为只要大家按照本书所阐明的“活法”去生活，那么，个人的人生也好、家庭也好、企业也好，甚至国家也好，就一定能向好的、正确的方向前进，就一定能获得丰硕的成果。

首先是自己，接着尽可能让更多的人理解各自承担的崇高使命，作为人应该做的正确的事情，以正确的方式贯彻到底。我相信，这样的“活法”一定能够迎来光辉灿烂的黎明。

后 记

作为本书书名的所谓“活法”，不仅是指个人的“活法”，而且把视野扩展到企业、国家、整个人类和人类的文明。

因为企业、国家、人类都不过是个人的集合体，在应该具备的、理想的“活法”这一点上，没有任何差别。

在青少年时代，尽管生活充满挫折，我依然不懈地追求理想；当上了经营者，在经营企业的实践中，我追求正确的经营哲学，依靠这种哲学，带领大家走向了成功和繁荣；从经营第一线退出后，通过对佛教的信仰，我反复思考人生的意义。

就是这样，在不同时期，我始终从正面忠实地面对自己的人生，在这个过程中，我逐步确立了自己的人生观，或者叫“活法”。

在本书中，我尽心尽力，把我思考的“活法”坦率地、毫无保留地告诉大家。

本书搁笔时，一种满足感包围了我。我觉得我恰当地、尽情地表达了我的思想。

在物欲横流的今天，我希望有更多的读者翻阅这本书。在人们摸索人生真理的过程中，这本书或许能成为行动的指针。

本书的出版，承蒙SUNMARK出版社社长植木宣隆先生、编辑部斋藤龙哉先生全力支持，并得到京瓷秘书室室长大田嘉仁先生、经营研究部粕谷昌志先生的协助。在此，向他们，并向为此书出版作出努力的所有人士表示衷心的感谢。

稻盛和夫

2004年7月

图书在版编目（CIP）数据

活法：小开本 / (日) 稻盛和夫 著；曹岫云 译. — 北京 : 东方出版社，2019.2
ISBN 978-7-5207-0633-9

Ⅰ. ①活… Ⅱ. ①稻… ②曹… Ⅲ. ①人生哲学—通俗读物 Ⅳ. ①B821-49

中国版本图书馆CIP数据核字（2018）第243400号

活法（小开本）
（HUOFA）

作　　者：［日］稻盛和夫
译　　者：曹岫云
责任编辑：贺　方
出　　版：东方出版社
发　　行：人民东方出版传媒有限公司
地　　址：北京市东城区东四十条113号
邮　　编：100007
印　　刷：鸿博昊天科技有限公司
版　　次：2019年2月第1版
印　　次：2019年2月第1次印刷
印　　数：1—10 000册
开　　本：787毫米 × 1092毫米 1/32
印　　张：9.125
字　　数：130千字
书　　号：ISBN 978-7-5207-0633-9
定　　价：48.00元
发行电话：（010）85924663　85924644　85924641

稻盛和夫的实学（小开本精装）

稻盛和夫的实学
经典珍藏版（全5册）

稻盛和夫的实学
经营与会计（小开本）

稻盛和夫的实学
创造高收益（小开本）

稻盛和夫的实学
活用人才（小开本）

稻盛和夫的实学
经营三十四问（小开本）

稻盛和夫的实学
阿米巴模式（小开本）